Y0-BCJ-458

MICHAEL WALZER

Über Toleranz
Von der Zivilisierung der Differenz

Aus dem Amerikanischen
von Christiana Goldmann

Mit einem Nachwort
von Otto Kallscheuer

Rotbuch Verlag

ROTBUCH RATIONEN
Herausgegeben von Otto Kallscheuer

Die Deutsche Bibliothek – CIP-Einheitsaufnahme

Walzer, Michael:
Über Toleranz : Von der Zivilisierung der Differenz / Michael Walzer.
[Hrsg. und mit einem Nachwort von Otto Kallscheuer.
Aus dem Amerikan. von Christiana Goldmann]. –
Hamburg : Rotbuch-Verlag, 1998
(Rotbuch Rationen)
Einheitssacht.: On toleration <dt.>
ISBN 3-88022-639-3

© der deutschsprachigen Ausgabe
Europäische Verlagsanstalt/Rotbuch Verlag, Hamburg 1998
Originaltitel: On toleration
© 1997 by Yale University
Lektorat: Frauke Hamann
Umschlaggestaltung: Michaela Booth
Herstellung: Das Herstellungsbüro, Hamburg
Satz: Greiner & Reichel, Köln
Druck und Bindung: Druckerei Wagner, Nördlingen
Printed in Germany
Alle Rechte vorbehalten
ISBN 3-88022-639-3

INHALT

VORWORT

Als amerikanischer Jude hielt ich mich in meiner Kindheit und Jugend für ein Objekt der Toleranz. Erst sehr viel später begriff ich, daß ich auch ein Subjekt bin, jemand, der aufgefordert ist, andere zu tolerieren – auch jene jüdischen Mitbürger, die unter Judentum etwas ganz anderes verstanden als ich. Meine erwachende Einsicht, daß die Vereinigten Staaten ein Land sind, in dem jeder jeden zu tolerieren hat – was diese Formel genau bedeutet, werde ich später erklären –, war der Ausgangspunkt dieses Essays. Sie veranlaßte mich, darüber nachzudenken, in welchen Beziehungen andere Länder anders sind, und das nur manchmal auf nicht zu tolerierende Weise. Amerika ist schließlich nicht die ganze Welt!

Zu tolerieren und toleriert zu werden ist ein wenig so wie das Regieren und Regiertwerden bei Aristoteles: Es ist die Leistung und das Werk demokratischer Bürger. Ich glaube nicht, daß es ein einfaches oder nicht weiter bedeutsames Werk ist. Toleranz wird häufig unterschätzt, so als wäre sie das mindeste, was wir für unsere Mitmenschen tun könnten, als sei sie das mindeste, worauf sie einen Anspruch hätten. In Wahrheit hat Toleranz (die Einstellung) viele verschiedene Formen, und Tolerierung (die Praxis) läßt sich auf verschiedene Weisen arrangieren.* Selbst die

---

* Walzer führt hier die grundlegende Unterscheidung zwischen der Toleranz als Tugend und der Tolerierung als ihre Ausübung ein, die er auch sprachlich verdeutlicht (»tolerance« vs. »toleration«). Im Deutschen wäre die fortgesetzte Verwendung des Wortes »Tolerierung« jedoch so unschön, daß im folgenden, wenn von »Toleranz« die Rede ist, nicht die Tugend, sondern die Praxis gemeint ist. (A. d. Ü.)

zögerlichsten Formen und die prekärsten Arrangements sind
eine sehr gute Sache und hinreichend selten in der Menschheits-
geschichte anzutreffen, als daß sie nicht nur eine praktische, sondern auch eine theoretische Würdigung verdienten. Wie auch bei
anderen Dingen, die uns am Herzen liegen, sollten wir uns fragen, wodurch Toleranz möglich wird, wie sie funktioniert: Das
ist das Hauptziel dieses Essays. An dieser Stelle möchte ich nur
kurz andeuten, was die Toleranz ermöglicht. Sie ermöglicht Leben, denn Verfolgung bringt häufig den Tod, und sie ermöglicht
ein Zusammenleben, die Existenz der verschiedenen Gemeinschaften, in denen wir uns bewegen. Toleranz macht Differenz
möglich, Differenz macht Toleranz notwendig.

Eine Verteidigung der Toleranz muß nicht unbedingt eine
Verteidigung der Differenz einschließen. Sie kann bloß aus der
Einsicht in die Notwendigkeit vorgenommen werden, und häufig geschieht dies auch. Doch alles, was ich hier schreibe, ist ge-
tragen von einer großen Hochachtung vor der Differenz, wenn
auch nicht in allen ihren Formen. Im sozialen, politischen und
kulturellen Leben ziehe ich die vielen dem einen vor. Gleichzeitig erkenne ich an, daß jedes System der Toleranz einen gewissen Grad an Einheitlichkeit aufweisen muß, fähig, die Loyalität
seiner Mitglieder zu erwecken. Die Koexistenz bedarf eines politisch stabilen und moralisch legitimen Arrangements, und auch
dieses ist ein Objekt der Wertschätzung. Es wäre denkbar, daß es
nur ein einziges, allen möglichen anderen überlegenes Arrangement gibt, doch das bezweifle ich. In der Einleitung werde ich
meine Gegengründe darlegen. Ich werde hier eine Beschreibung
einiger solcher Möglichkeiten vorlegen, um danach die zu analy-
sieren und zu verteidigen, die mir hier und jetzt die beste zu sein
scheint, die beste für uns Amerikaner, die wir uns anschicken,
ins 21. Jahrhundert einzutreten, die eine Möglichkeit, die sich
unserem tatsächlichen Pluralismus am besten einfügt, ihn stärkt
und erweitert.

EINLEITUNG
WIE ÜBER TOLERANZ ZU SCHREIBEN IST

Philosophische Argumentationen sind in den letzten Jahren oft in verfahrensethischer Form dahergekommen: Der Philosoph stellt sich einen Urzustand vor, eine ideale Kommunikationssituation oder eine Unterhaltung in einem Raumschiff. Kennzeichnend für diese Modelle ist die Festlegung von Rahmenbedingungen, sozusagen die Teilnahmeregeln für die beteiligten Parteien. Die Parteien vertreten die übrigen von uns. Sie argumentieren, verhandeln oder sprechen miteinander innerhalb dieser Rahmenbedingungen, deren Zweck darin liegt, die formalen Kriterien jeder Moral sicherzustellen: unbedingte Unparteilichkeit oder irgendein dieselbe Aufgabe erfüllendes Äquivalent. In der Annahme, daß die Bedingungen richtig abgefaßt sind, also Unparteilichkeit garantiert ist, dürfen die von den Parteien erzielten Schlußfolgerungen als moralisch bindend gelten. Auf diese Weise gewinnen wir Leitprinzipien für unsere tatsächlichen Überlegungen, Verhandlungen und Kompromisse, ja für unser politisches, soziales und ökonomisches Handeln in der wirklichen Welt. Wir sollten diesen Prinzipien in unserem Leben und unseren Gesellschaften so weit wie möglich Geltung verschaffen.[1]

Auf den folgenden Seiten werde ich einen anderen Ansatz vorschlagen, den ich in dieser kurzen Einleitung erklären und verteidigen möchte. Ich gedenke nicht, ein systematisches philosophisches Argument zu unterbreiten, obwohl alle notwendigen Ingredienzen eines solchen Arguments im ganzen dieses Essays in Erscheinung treten: Der Leser wird hier einige allgemeine methodologische Hinweise finden und danach eine ausführliche Il-

lustration anhand historischer Beispiele bekommen, eine Untersuchung der praktischen Probleme sowie eine vorsichtige und
unvollständige Schlußfolgerung, da der Ansatz mehr nicht ab-
deckt. Mein Thema ist Toleranz, oder vielleicht besser gesagt,
die friedliche Koexistenz von Gruppen und Völkern, die eine
eigene Geschichte, Kultur und Identität haben, denn Toleranz
macht ein solches Zusammenleben allererst möglich. An den
Anfang möchte ich die These stellen, daß friedliche Koexistenz
(wohlgemerkt einer bestimmten Art, denn ich schreibe nicht
über das Zusammenleben von Herren und Knechten) immer
eine gute Sache ist. Doch ist sie es nicht deshalb, weil die Menschen sie immer in ihren Taten hochschätzen, das tun sie ganz
offensichtlich nicht. Daß friedliche Koexistenz etwas Gutes ist,
zeigt sich vielmehr darin, daß die Menschen die starke Neigung
haben, sich zu ihr zu bekennen: Sie können sich nun einmal
nicht rechtfertigen, sei es sich selbst oder anderen gegenüber,
ohne den Wert der friedlichen Koexistenz sowie des Lebens und
der Freiheiten zu verfechten, die durch sie gefördert werden.[2]
Damit ist eine Tatsache der moralischen Welt bezeichnet, jedenfalls in dem beschränkten Sinn, daß die Beweislast auf seiten jener liegt, die diese Werte verwerfen. Rechtfertigen müssen sich
all jene, die religiöse Verfolgungen, erzwungene Assimilation,
Kreuzzüge oder »ethnische Säuberungen« praktizieren, und sie
tun dies in den meisten Fällen nicht dadurch, daß sie Gründe zu
ihrer Verteidigung anführen, sondern indem sie leugnen, in diesem Sinn schuldig zu sein.

Friedliche Koexistenz kann freilich ganz unterschiedliche politische Formen annehmen mitsamt allen Unterschieden, die das
für den moralischen Alltag bedeutet, d.h. für die tatsächlichen
Umgangsformen und das Miteinander einzelner Frauen und
Männer. Keine dieser Formen kann Allgemeingültigkeit beanspruchen. Über die minimalistische These hinaus, die den Wert
des Friedens und die darin enthaltenen Regeln der Duldung ein-
klagt – sie entsprechen in etwa dem üblichen Verständnis der

grundlegenden Menschenrechte –, gibt es keine Prinzipien, die sämtliche der Toleranz verpflichteten politischen Systeme anleiten oder die von uns fordern, unter allen Umständen, zu allen Zeiten und an allen Orten gemäß bestimmten politischen Einrichtungen oder Verfassungen zu handeln. Verfahrensethische Argumente sind uns hier keine Hilfe, eben weil sie keine Unterschiede der Zeit und des Ortes berücksichtigen; sie stellen die Umstände nicht in Rechnung. Die von mir vorgeschlagene Alternative trägt demgegenüber dem historischen Kontext von Toleranz und Koexistenz Rechnung, sie untersucht die verschiedenen Formen, die beide in der Realität angenommen haben, wie auch die beiden gemäßen Normen des Alltagslebens. Man muß sich sowohl die idealen Formen dieser praktischen Arrangements vor Augen führen als auch ihre historisch belegten Verzerrungen. Wir müssen untersuchen, wie dergleichen Arrangements von verschiedenen Betroffenen erfahren werden, von Gruppen und Individuen, und zwar sowohl von denen, die davon profitieren, als auch von denen, die unter ihnen leiden, aber wir müssen ebenso betrachten, wie sie von Außenseitern gesehen werden, von Leuten, die in einem der anderen Systeme der Toleranz leben.

Doch klingt das nicht fatal nach einer bloß positivistischen, ja schlimmer noch nach einer relativistischen Analyse? Wenn es uns an einem höheren Gesichtspunkt fehlt, wenn es keinen maßgeblicheren, kreditwürdigeren Teilnehmer gibt, wie sollte man da einen kritischen Maßstab gewinnen können? Nach welchen Kriterien ließen sich denn dann die unterschiedlichen Systeme ordnen und einstufen? Nun, das zu tun, liegt mir ohnehin fern, und die Unterlassung beunruhigt mich keineswegs. Es kommt mir ganz und gar unplausibel vor, die von mir betrachteten politischen Verfassungen, etwa die multinationalen Imperien oder Nationalstaaten oder ihre historischen Beispiele (das ptolemäische oder römische Alexandrien, das Osmanische Reich oder Österreich-Ungarn, das heutige Italien, Frankreich,

Norwegen usw.) auf einer Skala anzuordnen, so als ließe sich ihnen irgendein quantitativer moralischer Wert zuschreiben: sieben, neunzehn oder einunddreißigeinhalb.

Zweifellos können wir sagen, ein Arrangement, das mit größerer Wahrscheinlichkeit in Verfolgung und Bürgerkrieg zu enden vermag, sei schlechter als ein stabiles Arrangement. Aber wir können nicht sagen, ein Arrangement, das beispielsweise das Überleben von Gruppen höher veranschlagt als die Freiheit des einzelnen, sei in allen Stücken einem System unterlegen, das die Akzente genau andersherum setzt, denn Gruppen werden aus Individuen gebildet, von denen viele freiwillig das erste Arrangement dem zweiten vorziehen mögen. Auch wird man nicht behaupten wollen, staatliche Neutralität und freiwillige Vereinigungen seien nach dem Vorbild von John Lockes *Brief über Toleranz* der einzige oder auch nur der beste Weg, mit einem religiösen oder ethnischen Pluralismus zurechtzukommen. Fraglos ist es eine sehr gute Möglichkeit, und sie ist auf die Erfahrungen protestantischer Sekten in bestimmten Gesellschaftstypen zugeschnitten, daß sie jedoch über diese Erfahrung und diese Gesellschaft hinaus von Wert ist, muß erst bewiesen und kann nicht einfach vorausgesetzt werden. Radikale Angriffe auf die Freiheit der Individuen und auf ihr Recht, Vereinigungen zu bilden, lassen sich schnell verdammen, ebenso wie eine militärische und politische (nicht aber intellektuelle) Bedrohung für das Überleben einer Gruppe: All das ist mit minimaler Koexistenz unvereinbar. Darüber hinaus können Vergleiche zwischen verschiedenen Arrangements zwar von moralischem und politischem Nutzen sein, helfen sie uns doch, darüber nachzudenken, wo wir stehen und welche Möglichkeiten wir haben, doch erlauben sie keine allgemein verbindlichen Urteile.

Der Wert einer detaillierten, die Umstände berücksichtigenden Darstellung verschiedener politischer Systeme der Toleranz, sowohl in ihrer idealtypischen als auch realen Gestalt, liegt gerade in dem Nutzen, den sie für uns hat. Denn obgleich diese Systeme ein politisches und kulturelles Ganzes bilden, dessen Vor- und Nachteile eng miteinander verwoben sind, stellen sie doch kein organisches Ganzes dar. Es wäre falsch zu behaupten, man fällte ein politisches Todesurteil über sie, unternähme man es, einige ihrer inneren Verbindungen aufzulösen oder neu zu arrangieren. Nicht jede Reform ist ein Umbruch, und selbst Umbrüche lassen sich, wenn sie sich über lange Zeiträume erstrecken, mit Gewinn durchführen. Selbstverständlich wird ein solcher Prozeß nicht ohne Konflikte und Härten ablaufen, aber er wird nicht zwangsläufig zu einer völligen Auflösung und zu einem Zusammenbruch führen. Wenn dieser oder jener Aspekt eines Arrangements *dort*, auch *hier* einen Nutzen verspricht, geeignete Modifikationen immer vorausgesetzt, können wir durchaus auf eine Reform in diesem Sinn hinarbeiten, mit dem Ziel, das Beste für uns herauszuholen, und zwar unter Berücksichtigung der Gruppen, die wir wertschätzen, und der Individuen, die wir sind.

Hingegen ist der Versuch zum Scheitern verurteilt, all die »erfreulichsten« Merkmale der jeweiligen Arrangements herauszupicken und miteinander zu verbinden, weil wir glauben, dank ihrer ähnlichen Erfreulichkeit (ihres Reizes, den sie für uns besitzen) ließen sie sich tatsächlich so zusammenfügen, daß sie ein effektives und harmonisches Ganzes bilden. Zumindest manchmal, vermutlich aber sehr oft, sind Dinge, die wir an einem bestimmten historischen Arrangement bewundern, funktional mit anderen Sachen verbunden, die wir fürchten oder verabscheuen.[3] Es ist ein Beispiel für eine »schlechte Utopie«, wenn wir meinen, wir könnten das erste reproduzieren oder nachahmen und das zweite vermeiden. Eine Philosophie, die nicht in ein schlechtes utopisches Denken verfallen will, muß in Geschichte und Soziologie bewandert sein, nur so wird sie anerkennen können, daß die Politik oft harte Entscheidungen erfordert. Je härter die Entscheidungen sind, um so unwahrscheinlicher ist es, daß ein und nur ein Ergebnis zu Recht eine philosophische

Zustimmung verdient. Vielleicht sollten wir in diesem Punkt so und in jenem Punkt anders entscheiden, heute so und zu einem zukünftigen Zeitpunkt anders. Vielleicht sollten alle unsere Entscheidungen tastend und provisorisch sein, jederzeit offen für eine Revision oder gar Umkehr.

Der Gedanke, daß unsere Entscheidungen nicht durch ein einziges universales Prinzip (oder durch eine Menge zusammenhängender Prinzipien) bestimmt sind, und daß die richtige Entscheidung hier nicht auch die richtige Entscheidung dort sein muß, ist strikt gesagt eine relativistische Vorstellung. Die beste politische Verfassung verhält sich stets relativ zur Geschichte und Kultur des Volkes, dessen Leben sie gestaltet. Dieser Punkt scheint mit sonnenklar zu sein, was aber nicht heißt, daß ich einem uneingeschränkten Relativismus das Wort rede, denn keinem Arrangement, keinem Kennzeichen eines solchen Arrangements ist moralisch zuzustimmen, wenn es nicht die eine oder andere Version einer friedlichen Koexistenz erlaubt und damit auch die grundlegenden Menschenrechte respektiert. Wir treffen unsere Entscheidungen innerhalb bestimmter Grenzen, und ich vermute, daß sich Philosophen nicht darüber streiten, ob es derartige Grenzen gibt, daran zweifelt niemand ernsthaft. Die Frage ist vielmehr, wie weitgesteckt sind sie. Das beste Verfahren, dies festzustellen, ist wohl, eine Bandbreite von Möglichkeiten zu beschreiben und Gründe für ihre Plausibilität und Beschränkungen innerhalb eines historisches Kontextes anzugeben. Über alle politischen Arrangements, die von Anfang an herausfallen, monolithische Theokratien und totalitäre politische Regimes, werde ich nicht viel zu sagen haben. Es reicht, sie zu nennen und den Leser daran zu erinnern, daß sie eine historische Realität sind. Vor dem Hintergrund dieser Realität ist die friedliche Koexistenz zweifellos ein wichtiges und substantielles Moralprinzip.

Die These, daß verschiedenen Gruppen und/oder Individuen eine friedliche Koexistenz erlaubt sein sollte, beinhaltet nicht das Gebot, jede bestehende oder vorstellbare Differenz sei zu tolerieren. Die verschiedenen Arrangements, die ich hier beschreiben werde, verhalten sich in der Tat unterschiedlich tolerant gegenüber Gebräuchen, die der Mehrheit ihrer Teilnehmer seltsam oder abscheulich vorkommen, und daraus folgt selbstverständlich, daß sie sich unterschiedlich tolerant gegenüber den Männern und Frauen verhalten, die ihnen anhängen. Wir können die verschiedenen Arrangements, die verschiedenen politischen Systeme der Toleranz als mehr oder weniger tolerant klassifizieren und sogar, wenn auch mit vielen historischen Einschränkungen, eine Rangordnung von unten nach oben aufstellen. Sehen wir uns jedoch einige der fraglichen Praktiken genauer an, wird sehr schnell deutlich, daß es sich nicht um eine moralische Rangordnung handelt. Die Tolerierung fragwürdiger Praktiken variiert auf eine komplexe Weise von System zu System, und unsere Urteile über diese Variationen sind wahrscheinlich von ähnlicher Komplexität.

Ich möchte diese Komplexität in meinen Darstellungen der verschiedenen Systeme und der Probleme, mit denen sie allesamt konfrontiert sind, einfangen, und das gilt auch für meine Spekulationen über das heutige Amerika, mit denen mein Essay endet. Über die Formen der Koexistenz ist noch nie so viel debattiert worden wie in der heutigen Zeit, was nicht weiter erstaunt, wurde doch die unmittelbare Präsenz der Differenz, die alltägliche Begegnung mit dem Anderssein noch nie so umfassend erfahren wie heute. Schaltet man den Fernseher ein oder schlägt eine Tageszeitung auf, so könnte man den Eindruck gewinnen, als machte man diese Erfahrung in zunehmendem Maße überall auf der Welt. Dadurch sind wir vielleicht versucht, nach einer einheitlichen Reaktion Ausschau zu halten. Doch selbst sehr ähnliche Begegnungen und Übereinkünfte sind zwangsläufig verschieden, wenn sie verschiedene Gruppen von Menschen betreffen und von Männern und Frauen mit einer unterschiedlichen Geschichte und je anderen Erfahrungen reflektiert werden. Jede Erfahrung ist unvermeidlich kulturell vermittelt, und ich habe mich daher bemüht, die Differenz zu respektieren, die dieser Vermittlung entspringt. Aus diesem Grund sind meine Vorschläge, wie die Dinge sich entwickeln sollten, wie sich eine friedliche Koexistenz am besten bewerkstelligen läßt, stets mit einem Zeit- und Ortsindex versehen, der meine amerikanische Realität einbezieht. Am Schluß dieses Essays mische ich mich tastend und vorläufig in die Debatte über den »Multikulturalismus« ein.[4] Allerdings glaube ich nicht, daß diese Debatte von allgemeiner oder welthistorischer Bedeutung ist oder ihren Schlußfolgerungen andernorts mehr als ein heuristischer Wert zukommt. Jeder in der heutigen Welt kann von dieser besonderen Auseinandersetzung mit der Differenz etwas lernen, aber er wird nicht viel lernen, wenn er sich nicht mit vielen anderen Auseinandersetzungen vertraut macht.

Noch eine letzte Bemerkung: Was für alle gilt, gilt auch für mich, meine Vertrautheit mit anderen Auseinandersetzungen ist ebenso begrenzt. Die Argumentation dieses Essays stützt sich weitgehend auf Beispiele aus Europa, Nordamerika und dem Nahen Osten. Andere werden mir sagen müssen, ob und in welchem Maße meine Argumente der lateinamerikanischen, afrikanischen und asiatischen Wirklichkeit entsprechen.

I. PERSÖNLICHE HALTUNGEN
UND POLITISCHE ARRANGEMENTS

Ein alter Lehrer gab mir einmal den Rat, beginne immer mit einer negativen Bemerkung. Sage dem Leser zuerst, was du nicht tun wirst, das wird seinen Kopf entlasten und er wird eher geneigt sein, sich auf das scheinbar bescheidenere Projekt einzulassen. In Beherzigung dieses Rats beginne ich mein Plädoyer für die Toleranz mit einer Reihe negativer Abgrenzungen. Mein Gegenstand ist nicht die Tolerierung exzentrischer oder abweichender Individuen in der Zivilgesellschaft oder auch im Staat. Die Individualrechte mögen durchaus an den Wurzeln jeder Art von Toleranz liegen, doch mich interessieren solche Rechte vor allem, wenn sie von einem Kollektiv wahrgenommen werden (im Verlauf freiwilliger Vereinigungen, religiöser Kulte, kultureller Bekundungen oder kommunaler Selbstverwaltung) oder wenn sie von Gruppen um ihrer Mitglieder willen eingeklagt werden. Das exzentrische Individuum, das mit seiner Differenz einsam dasteht, ist leicht zu tolerieren, und Ablehnung und Widerstand der Gesellschaft gegen exzentrisches Verhalten ist zwar eine unerfreuliche Erscheinung, aber sie ist gewiß nicht sehr bedrohlich. Hingegen steht sehr viel mehr auf dem Spiel, wenn es sich um exzentrische oder abweichende Gruppen handelt.

Mein Thema ist auch nicht die politische Toleranz, bei der die fraglichen Gruppen Oppositionsbewegungen und -parteien sind. Diese sind Konkurrenten um die politische Macht und der Lebensnerv eines jeden demokratischen Regimes, das ganz buchstäblich der Opposition (und oppositionellen Programme) bedarf, selbst wenn sie niemals eine Wahl gewinnen werden. Sie sind Mitspieler, ähnlich der gegnerischen Mannschaft in einem

Basketballturnier, ohne die es kein Spiel geben würde, und die daher das Recht hat, Punkte zu machen und, wenn sie kann, zu gewinnen. Probleme ergeben sich erst, wenn Leute das Spiel unterbrechen oder beenden wollen, obwohl sie immer noch von den Rechten der Spieler und dem Schutz der Regeln Gebrauch machen. Solche Probleme können oft brisant sein, aber sie haben nicht viel mit der Tolerierung der Differenz zu tun, die zum Wesen jeder demokratischen Politik gehört; bei solchen Problemen geht es eher darum, ob man den Versuch, die bestehenden Verhältnisse zu zerschlagen, toleriert (oder diese Gefahr in Kauf nimmt) – aber damit betreten wir ein ganz anderes Gebiet.

Auch spricht es nicht für mangelnde Toleranz gegenüber der Differenz, wenn eine Partei mit einem klaren antidemokratischen Programm von der Beteiligung an demokratischen Wahlen ausgeschlossen wird, darin drückt sich nur kluge Weitsicht aus. Fragen der Toleranz ergeben sich früher, lange bevor es um die Eroberung der Macht geht, dann nämlich, wenn die religiöse Gemeinschaft oder die ideologische Bewegung, aus der diese Parteien hervorgehen mögen, sich allererst konstituiert. In diesem Stadium leben ihre Mitglieder einfach unter uns, auch wenn sie sich durch ihre illiberale und antidemokratische Einstellung von uns unterscheiden. Sollten wir ihre Worte und Taten tolerieren, und wenn wir, wie ich glaube, diese Frage bejahen müssen, so stellt sich die nächste. Wie weit sollte unsere Toleranz gehen?

Was mich umtreibt, ist die Frage nach der Toleranz dann, wenn die betreffenden Differenzen sich auf die Kultur, Religion oder Lebensform beziehen, wenn die anderen keine Mitspieler sind, wenn es kein gemeinsames Spiel gibt und keine innere Notwendigkeit für die Differenzen, die sie pflegen und in Szene setzen. Selbst eine liberale Gesellschaft ist nicht auf eine Vielfalt ethnischer Gruppen oder Religionsgemeinschaften angewiesen. Auch als kulturell homogenes Gebilde kann sie existieren, ja sogar gedeihen. Dagegen ist in letzter Zeit eingewandt worden, das liberale Ideal des autonomen Individuums lasse sich nur in einer

»multikulturellen« Gesellschaft verwirklichen, da erst das Gegebensein verschiedener Kulturen eine sinnvolle Wahl ermögliche.[1] Autonomen Individuen stehen jedoch andere Wahlmöglichkeiten offen, sie können zwischen nichtakademischen und akademischen Berufen wählen, zwischen möglichen Freunden und Ehepartnern, zwischen politischen Theorien, Parteien und Bewegungen, zwischen einem städtischen, ländlichen oder kleinstädtischen Leben, zwischen einer Oberschichts-, Mittelschichts- oder Unterschichtskultur. Warum Autonomie nicht genügend Spielraum in einer kulturell geschlossenen Gruppe finden können sollte, ist gar nicht einzusehen.

Auch sind Gruppen dieser Art im Gegensatz zu demokratischen politischen Parteien nicht darauf angewiesen, daß es andere Gruppen ihresgleichen gibt. Wo der Pluralismus eine soziale Tatsache ist, was ja gewöhnlich zutrifft, werden einige Gruppen mit anderen darum konkurrieren, unter den Individuen innerhalb oder außerhalb ihres Dunstkreises Gefolgsleute oder Sympathisanten zu finden. In der Hauptsache aber werden sie für die Aufrechterhaltung einer bestimmten Lebensform unter ihren Mitgliedern sorgen, für die Weitergabe ihrer Kultur oder ihres Glaubens an künftige Generationen. Sie richten sich in erster Linie nach innen – was politische Parteien gerade nicht tun können. Gleichzeitig brauchen sie einen gewissen öffentlichen, über den Familienkreis hinausgehenden Raum, um sich versammeln und ihre Religion ausüben zu können, um gemeinsame Feste zu feiern, sich gegenseitig zu unterstützen und ihre Kinder in die richtige Art von Schulen zu schicken.

Worin besteht nun die Toleranz gegenüber solchen Gruppen? Versteht man darunter eine geistige Einstellung oder Gesinnung, so bezeichnet Toleranz eine Reihe von Möglichkeiten. Die erste, die auf den Ursprung der religiösen Toleranz im 16. und 17. Jahrhundert verweist, bezeichnet einfach die resignierte Duldung der Differenz um des Friedens willen. Nachdem sich die Menschen jahrzehntelang gegenseitig abgeschlachtet haben, setzt endlich und zum Glück Erschöpfung ein, und das nennen wir dann Toleranz.[2] Freilich läßt sich ein kontinuierliches Spektrum substantiellerer Duldungen ausmachen. Eine zweite mögliche Einstellung verhält sich passiv, entspannt und wohlwollend gleichgültig gegenüber der Differenz: »Eine Welt braucht viele Jecken«. Eine dritte Einstellung befleißigt sich eines moralischen Stoizismus: Sie erkennt aus prinzipiellen Erwägungen an, daß die »Anderen« Rechte haben, auch wenn sie diese auf wenig anziehende Weise wahrnehmen.[3] Eine vierte Einstellung bringt die Offenheit gegenüber den anderen zum Ausdruck, ihre Neugierde, vielleicht auch ihre Achtung, ihre Bereitschaft zuzuhören und zu lernen. Weiter oben im Spektrum befindet sich die enthusiastische Bejahung der Differenz: Sie ist ästhetisch, wenn die in kultureller Gestalt daherkommende Differenz als Ausdruck von Weite und Vielfalt der göttlichen Schöpfung oder der Natur genommen wird; sie ist funktional, wenn die Differenz, wie im Argument des multikulturellen Liberalen, als notwendige Bedingung menschlicher Entfaltung gilt, sie also den einzelnen Männern und Frauen all die Wahlmöglichkeiten bietet, die ihre Autonomie bedeutungsvoll macht.[4]

Möglicherweise liegt diese letzte Einstellung jenseits meines Gegenstandes. Wieso kann man behaupten, man toleriere etwas, wo man es doch bejaht? Wenn ich mir die anderen herbeiwünsche, wenn ich will, daß sie in dieser Gesellschaft, hier unter uns leben, dann toleriere ich nicht ihr Anderssein, ich fördere es.

Damit fördere ich nicht notwendigerweise diese oder jene Spielart des Andersseins. Es mag sehr wohl sein, daß ich eine andere vorziehen würde, eine die in kultureller oder religiöser Hinsicht meinen eigenen Verhaltensweisen oder meinen eigenen Überzeugungen näher stünde (vielleicht wäre es mir auch lieber, wenn sie noch fremder, noch exotischer wäre, damit sie nicht als bedrohlicher Konkurrent auftreten kann). In jeder pluralistischen Gesellschaft wird es immer Leute geben, deren Bekenntnis zum Pluralismus durch und durch aufrichtig ist, denen es

aber dennoch schwerfällt, mit einer bestimmten Differenz aus-
zukommen, sei es eine besondere Kultform, ein bestimmtes Fa-
milienarrangement, eine Diätetik, ein sexuelles Verhalten oder
eine Art sich zu kleiden. Obwohl sie die Idee der Differenz be-
grüßen, tolerieren sie die einzelnen Erscheinungsformen der
Differenz. Doch auch Leute, denen eine solche Schwierigkeit
fremd ist, werden mit Recht tolerant genannt, denn sie schaffen
Raum für Männer und Frauen, deren Überzeugungen sie nicht
annehmen, deren Praktiken sie nicht nachzueifern wünschen; sie
leben friedlich mit einem Anderssein zusammen, das für sie, wie
sehr auch immer sie seine Präsenz als solche schätzen mögen,
anders ist als das, was sie kennen, etwas, das ihnen fremd und
seltsam erscheint. Ich werde von jedem, der diese Fähigkeit be-
sitzt, sagen, er habe die Tugend der Toleranz, ganz gleichgültig,
wo auf dem Spektrum er anzusiedeln ist, ob Resignation,
Gleichgültigkeit, stoische Akzeptanz, Neugierde oder Enthusiasmus ihn beflügeln.

Wie wir sehen werden, gehört es zu jedem erfolgreichen System der Toleranz, daß es nicht von einer bestimmten Form dieser Tugend abhängt, es verlangt nicht, daß all seine Teilnehmer
sich an einem Punkt des Spektrums befinden. Es mag durchaus
so sein, daß einige Systeme ganz gut mit Resignation, Gleichgültigkeit oder Stoizismus fahren, während andere Neugierde und
Enthusiasmus fördern müssen, doch glaube ich nicht, daß dies
systematische Tendenzen zum Ausdruck bringt. Selbst der Unterschied zwischen eher kollektivistischen und individualistischen Systemen spiegelt sich nicht in den geforderten Einstellungen. Aber muß man nicht fragen, ob Toleranz in sich
gefestigter ist, wenn die Leute sich eher am oberen Ende des
Spektrums bewegen? Sollten die öffentlichen Schulen nicht darauf hinwirken, daß die Leute eher enthusiastisch als gleichgültig
sind? Tatsächlich wird jede dieser Einstellungen, wenn sie entsprechend stark verwurzelt ist, der Toleranz Dauer verleihen.
Das beste pädagogische Programm mag nicht mehr leisten müs-

sen, als eine lebhafte Schilderung religiöser oder ethnischer Kriege zu geben. Fraglos werden sich persönliche Beziehungen eher über die kulturellen Gräben hinweg entwickeln, wenn Leute über die minimale Toleranz hinausgeführt werden, welche die lebhafte Schilderung der Intoleranz bei ihnen hervorrufen möchte, das aber trifft auf alle Systeme zu. Dennoch hängt ihr politischer Erfolg in keiner Weise davon ab, wie gut die persönlichen Beziehungen ihrer Bürger untereinander sind. Am Ende des Buches werde ich mich allerdings fragen müssen, ob diese These auch noch für die entstehenden »postmodernen« Versionen der Toleranz gilt.

Fürs erste möchte ich alle sozialen Arrangements, die Differenz einschließen, mit ihr koexistieren und ihr einen Teil des öffentlichen Raumes zugestehen, als institutionalisierte Formen einer nicht weiter spezifizierten Tugend behandeln. Geschichtlich hat es im Westen fünf verschiedene politische Arrangements gegeben, die der Toleranz zuträglich waren, fünf Modelle einer toleranten Gesellschaft. Ich nehme nicht für mich in Anspruch, alle Möglichkeiten berücksichtigt zu haben, sondern nur die wichtigsten und interessantesten. Gemischte Systeme sind durchaus denkbar. Im folgenden werde ich nun die fünf skizzieren und dabei historische und idealtypische Darstellungen vermengen. Sodann werde ich einige gemischte Fälle untersuchen, die Probleme aufzeigen, mit denen verschiedene Arrangements konfrontiert sind, und schließlich über die soziale Welt und das Selbstverständnis von Männern und Frauen sprechen, die einander heute tolerieren, soweit sie es tatsächlich tun, versteht sich, denn Tolerierung ist immer eine prekäre Errungenschaft. Was also genau tun wir, wenn wir Differenz tolerieren?

II. FÜNF SYSTEME DER TOLERANZ

Multinationale Imperien

Die ältesten Arrangements sind jene der großen multinationalen Imperien, angefangen, so weit es für uns von Interesse ist, mit Persien, Ägypten zur Zeit der Ptolemäer und Rom. In diesen Reichen bildeten die verschiedenen Gruppen autonome oder halbautonome Gemeinschaften, deren Selbstbestimmung sowohl politischer als auch juristischer, kultureller wie religiöser Natur war, und die hinsichtlich einer bemerkenswerten Bandbreite von Tätigkeiten sich selbst verwalten konnten. Die Gruppen hatten gar keine andere Wahl, als sich miteinander zu arrangieren, denn ihr Umgang untereinander wurde von kaiserlichen Beamten gemäß dem allgemeinen Zivilrecht des Imperiums, dem Römischen *jus gentium*, festgelegt, das ein Mindestmaß an Billigkeit garantieren sollte, d.h. das, was man im Zentrum des Reiches, in Rom, unter Billigkeit verstand. Für gewöhnlich mischten sich die Beamten jedoch nicht um der Billigkeit willen in die inneren Angelegenheiten der autonomen Gemeinschaften ein, solange jedenfalls nicht, wie diese ihre Steuern bezahlten und den inneren Frieden wahrten. Man kann ihnen daher mit Recht zugute halten, daß sie die verschiedenen Lebensformen tolerierten, und die Verfassung des Imperiums ein System der Toleranz war, gleichgültig, ob die Mitglieder der verschiedenen Gemeinschaften einander tolerant behandelten.

Unter imperialer Herrschaft werden die Mitglieder, ob sie wollen oder nicht, in ihrem alltäglichen Umgang meistenteils Toleranz an den Tag legen, und vielleicht werden einige von ihnen lernen, Differenz zu akzeptieren und irgendwo in das von mir beschriebene Spektrum einzuordnen sein. Das Überleben der verschiedenen Gemeinschaften ist jedoch nicht von dieser Billigung abhängig. Abhängig ist es allein von der Toleranz der Machthaber, die in der Hauptsache um des Friedens willen aufrechterhalten wird, was nicht ausschließt, daß einzelne Beamte des Imperiums unterschiedliche Motive haben können. Einige waren ja sogar berühmt für ihren Wissensdrang oder auch für ihre begeisterte Verteidigung der Differenz.[1] Den Beamten des Imperiums wurde oft vorgeworfen, sie gingen nach dem Grundsatz »teile und herrsche« vor, und manchmal war das in der Tat ihre Politik. Doch darf man nicht vergessen, daß nicht sie die Teilungen verursacht hatten, die sie sich zunutze zu machen wußten. Es mag sehr wohl sein, daß das von ihnen beherrschte Volk sich gern teilen und beherrschen ließ, und sei es nur um des Friedens willen.

Die imperiale Herrschaft erwies sich historisch als die erfolgreichste Weise, Differenz aufzunehmen und friedliche Koexistenz zu fördern, oder besser gesagt, zu fordern. Aber sie ist und war auch noch nie liberal oder demokratisch. Wie auch immer der jeweilige »Autonomiestatus« ausgesehen haben mag, das ihn garantierende System selbst war autokratisch.

Es liegt mir fern, diese Autokratie zu idealisieren, schließlich griff sie oft zu grausamen Unterdrückungsmaßnahmen, um ihre Eroberungen zu sichern, wie die Geschichte Babylons und Israels, Roms und Karthagos, Spaniens und der Azteken, der Russen und Tataren zur Genüge beweist. Ist die imperiale Herrschaft jedoch gefestigt, ist sie oft tolerant, und zwar gerade deshalb, weil sie überall autokratisch auftritt und nicht durch die Interessen und Vorurteile irgendeines der unterjochten Völker, denen sie allen gleichermaßen fern steht, gebunden ist. All den Vorurteilen und der systemimmanenten Korruption ihrer Regimes zum Trotz, regierten römische Prokonsuln in Ägypten oder britische Regenten in Indien wahrscheinlich unparteiischer, als ein einheimischer Fürst oder Tyrann es getan hätte, ja vermutlich sogar unparteiischer, als es irgendeine lokale Mehrheit heutzutage tun würde.

Der vom Imperium verliehene Autonomiestatus hat die Tendenz, die Individuen an ihre Gemeinschaften zu fesseln, sie mithin an eine ethnische oder religiöse Identität zu binden. Das Imperium toleriert Gruppen, ihre Herrschaftsstrukturen und Sitten, nicht aber, sieht man von den wenigen kosmopolitischen Zentren und Hauptstädten ab, ungebundene Männer und Frauen. Die ins Imperium aufgenommenen Gemeinschaften sind keine freiwilligen Vereinigungen, sie haben, historisch betrachtet, keine liberalen Werte kultiviert. Obwohl einzelne Individuen die Grenzen überschreiten konnten, man denke etwa an Konvertiten und Apostaten, waren die Gemeinschaften in der Regel geschlossen, setzten die eine oder andere Version der religiösen Orthodoxie durch und hielten an der traditionellen Lebensweise fest. So lange sie vor härteren Repressalien geschützt sind und ihre inneren Angelegenheiten selbst regeln können, haben solche Gemeinschaften ein außerordentliches Beharrungsvermögen. Gegenüber rebellischen Individuen, die als Bedrohung ihres Zusammenhalts, ja als Gefahr für ihr Überleben gelten, können sie jedoch sehr grausam sein.

Isolierte Nonkonformisten und Häretiker, Wanderer zwischen den Kulturen, in Mischehen Lebende und die daraus hervorgegangenen Kinder werden in die Hauptstadt des Reiches fliehen, die sich in der Folge wahrscheinlich zu einem Hort der Toleranz und Liberalität entwickelt – man denke etwa an Rom, Bagdad, das kaiserliche Wien oder besser noch an Budapest[2] –, zu dem einzigen Ort, an dem der soziale Raum ein dem Individuum passendes Maß hat. Alle anderen hingegen, auch Freigeister und potentielle Abweichler, die aufgrund ihrer ökonomischen Situation oder wegen familiärer Bande nicht weggehen können, leben in homogenen Vierteln oder Bezirken, der Disziplin ihrer eigenen Gemeinschaften unterworfen. Sie werden als Kollektiv toleriert, doch jenseits der mehr oder weniger sichtbaren Grenzen, die sie von anderen Gemeinschaften trennen, sind die Individuen weder willkommen noch sicher. Unbesorgt können sie sich nur auf neutralem Boden vermischen, auf dem Markt oder in den Gerichten und Gefängnissen des Reiches. Dennoch leben sie die meiste Zeit friedlich nebeneinander, und jede Gruppe respektiert die kulturellen wie die geographischen Grenzen.

Das antike Alexandria ist ein passendes Beispiel für das, was wir die imperiale Version des Multikulturalismus nennen können. In der Stadt lebten grob geschätzt ein Drittel Griechen, ein Drittel Juden und ein Drittel Ägypter, und es scheint, als hätten diese drei Gemeinschaften erstaunlich friedlich nebeneinander existiert.[3] In späteren Zeiten begünstigten Roms Beamte immer mal wieder ihre griechischen Untertanen, vielleicht weil sie eine größere kulturelle Affinität zu den Griechen hatten, vielleicht auch weil diese einen höheren politischen Status hatten, denn nur die Griechen besaßen das Bürgerrecht. Diese Aufweichung der imperialen Neutralität führte dann auch zu Perioden blutiger Konflikte in der Stadt. Messianische Bewegungen unter den Juden, die zum Teil eine Reaktion auf die römische Feindseligkeit waren, bereiten der multikulturellen Koexistenz ein bitteres Ende. Aber die Jahrhunderte des Friedens machten deutlich, daß dem imperialen System bessere Möglichkeiten zur Verfügung standen. Es ist interessant, daß die Gemeinschaften, obgleich rechtlich und sozial voneinander unterschieden, einen lebhaften kommerziellen und geistigen Austausch pflegten, dem wir unter anderem die hellenistische Version des Judaismus verdanken, die unter dem Einfluß griechischer Philosophen von alexandrinischen Schriftstellern wie Philo geschaffen wurde. Außerhalb des imperialen Rahmens wäre eine solche Leistung undenkbar.

Das Milletsystem der Osmanen (Millet bedeutet: religiöse Gemeinschaft) verweist auf eine andere Version des imperialen Regimes der Toleranz, auf eines, das entwickelter und langlebi-

ger war.[4] In diesem Fall waren die selbstverwalteten Gemeinschaften ihrem Charakter nach rein religiös, und da die Osmanen selbst Muslime waren, verhielten sie sich in religiöser Hinsicht keineswegs neutral. Die offizielle Religion des Reiches war
der Islam, aber drei anderen religiösen Gemeinschaften – den
griechisch Orthodoxen, den armenisch Orthodoxen und den Juden – war es gestattet, autonome Organisationen zu bilden.
Diese drei waren untereinander gleichgestellt, und das unabhängig von ihrer jeweiligen zahlenmäßigen Stärke. Sie unterlagen
denselben Beschränkungen gegenüber den Muslimen, etwa was
die Kleidervorschriften, das Proselytenmachen und die Mischehen betraf. Auch hatten sie die gleiche rechtliche Kontrolle
über ihre Mitglieder. Die Millets der Minderheiten wurden nach
ethnischen, sprachlichen und regionalen Differenzen unterteilt,
so daß gewisse Unterschiede hinsichtlich der religiösen Praxis in
das System eingeschlossen waren. Doch besaßen die Mitglieder
gegenüber ihrer eigenen Gemeinschaft weder das Recht auf Ge-
wissens- noch auf Vereinsfreiheit. Zudem mußte jeder irgendeiner Gemeinschaft angehören. Allerdings gab es an den Rändern
noch eine weitere Tolerierung, so wurde den Karäern, einer jüdischen Sekte, im 16. Jahrhundert von den Osmanen die Steuer-
hoheit verliehen, nicht aber der ungeschmälerte Milletstatus.
Auch hier gilt, daß das Reich im wesentlichen gegenüber Gruppen, nicht aber gegenüber Individuen aufgeschlossen war, es sei
denn, die Gruppen selbst traten für liberale Prinzipien ein, wie
es offenbar ein protestantisches Millet tat, das sich allerdings erst
spät in der osmanischen Ära bildete.

Heute, da auch das letzte Imperium, die Sowjetunion, sich
aufgelöst hat, gehört das alles der Vergangenheit an: die autonomen Institutionen, die sorgfältig gehüteten Grenzen, die ethnisch ausgewiesenen Pässe, die kosmopolitischen Hauptstädte
und die ausgedehnten Bürokratien. Am Ende hatte die Autonomie keine große Bedeutung mehr, was möglicherweise zum
Niedergang der Imperien beitrug, ihr Umfang wurde erheblich

durch die modernen Ideen über Souveränität und totalitäre Ideologien eingeschränkt, die für den Einschluß der Differenz keinen Sinn haben. Doch die ethnischen und religiösen Differenzen überlebten, und wo immer sie an ein Territorium gebunden waren, behielten lokale Organe, die mehr oder weniger repräsentativ waren, minimale Funktionen und eine symbolische Autorität bei. Diese konnten sie nach dem Fall der Imperien schnell in eine Art Staatsmaschinerie umsetzen, die von nationalistischer Ideologie angefeuert nach Souveränität strebte und oft auf den Widerstand alteingesessener Minderheiten stieß, den wahren Nutznießern des imperialen Systems und seine letzten und treuesten Verteidiger. Mit der Souveränität gelangt man auch in den Genuß, Mitglied der internationalen Gesellschaft zu werden, die von allen Gesellschaften die toleranteste ist, aber in die man bis vor kurzem nicht so leicht eintreten konnte. Ich werde in diesem Essay die internationale Gemeinschaft nur knapp und nebenbei behandeln, doch sollte man sich darüber im klaren sein, daß die meisten territorial gebundenen Gruppen es vorziehen würden, als eigene Nationalstaaten (oder religiöse Republiken) mit eigener Regierung, Armee und eigenen Staatsgrenzen toleriert zu werden, als Nationalstaaten, die mit anderen Nationalstaaten in gegenseitiger Achtung koexistieren oder wenigstens gemeinsamen Gesetzen unterworfen sind, selbst wenn sie nur selten durchgesetzt werden.

Die internationale Gemeinschaft

Die internationale Gemeinschaft ist insofern eine Anomalie als sie kein territorial bestimmtes politisches System ist; einige würden sogar behaupten, sie sei überhaupt kein System, sondern ein anarchischer und gesetzloser Zustand. Wäre das richtig, so wäre dieser Zustand einer der unbeschränkten Toleranz: Alles ist möglich, nichts ist verboten, da niemand berechtigt ist, es zu verbieten – oder auch zu gestatten –, selbst wenn manch einer der Beteiligten nichts lieber als das täte. In Wirklichkeit ist die internationale Gemeinschaft nicht anarchisch, sie ist nur ein recht machtloses System, doch als solches ist sie tolerant, unabhängig davon, wie intolerant sich einige der ihr angeschlossenen Staaten gebärden mögen. Alle Gruppen, die Eigenstaatlichkeit erlangt haben, und sämtliche von ihnen erlaubten Praktiken (die freilich, wie wir gleich sehen werden, bestimmte Grenzen haben) werden von der Staatengemeinschaft toleriert.

Die Souveränität der Staaten sorgt dafür, daß niemand auf *jener* Seite der Grenze sich in das einmischen kann, was auf *dieser* Seite der Grenze geschieht. Die Leute auf der anderen Seite mögen resigniert, gleichgültig, stoisch, neugierig oder begeistert auf die Praktiken der anderen Seite reagieren und deshalb auch keine Neigung verspüren, sich einzumischen. Vielleicht akzeptieren sie aber auch nur die wechselseitige Logik der Souveränität: Wir kümmern uns nicht um Eure Praktiken, wenn Ihr Euch nicht um unsere kümmert. Leben und leben lassen ist eine leicht zu befolgende Maxime, wenn man auf den verschiedenen Seiten einer klar markierten Grenze lebt. Denkbar wäre auch, daß die Leute auf der einen Seite ausgesprochen feindselig sind und nur allzugern Kultur und Sitten ihres Nachbarn anschwärzen würden, aber nicht bereit sind, die Kosten für eine Einmischung in Kauf zu nehmen. Angesichts des Wesens der internationalen Gemeinschaft sind die Kosten vermutlich recht hoch: Es heißt, eine Armee auszuheben, eine Grenze zu überschreiten, zu töten und getötet zu werden.

Diplomaten und Staatsmänner übernehmen für gewöhnlich die zweite Einstellung. Sie akzeptieren also die Logik der Souveränität, ohne daß sie deshalb einfach ignorieren könnten, welche Leute und Verhaltensweisen sie für nicht tolerierbar halten. Sie müssen mit Mördern und Diktatoren verhandeln, und sie müssen, was für unser Thema einschlägiger ist, die Interessen von

Ländern berücksichtigen, deren Mehrheitskultur oder Religion Grausamkeit, Unterdrückung, Frauenfeindlichkeit, Rassismus, Sklaverei oder Folter entschuldigt. Wenn Diplomaten Diktatoren die Hände schütteln oder mit ihnen speisen, tragen sie gewissermaßen Handschuhe. Ihre Handlungen haben keine moralische Bedeutung, wohl aber ist das, was sie aushandeln, von moralischer Bedeutung, es ist ein Akt des Tolerierens. Um des Friedens oder der Überzeugung willen, daß der Anstoß für eine kulturelle oder religiöse Reform von innen erfolgen, d.h. das Werk Einheimischer sein muß, erkennen sie das andere Land als ein souveränes Mitglied der internationalen Gesellschaft an.

Diplomatische Einrichtungen und Gepflogenheiten vermitteln einen Eindruck davon, was man die formelle Seite der Toleranz nennen könnte. Sie hat auch, obgleich weniger auffällig, einen Platz im innerstaatlichen Bereich, wo wir oft mit Gruppen zusammenleben, mit denen wir keine engeren sozialen Beziehungen unterhalten und es auch nicht wünschen. In diesem Fall wird die Koexistenz von Beamten geregelt, die innerstaatliche Diplomatendienste leisten. Beamte haben natürlich mehr Autorität als Diplomaten, und daher ist das von ihnen überwachte Zusammenleben auch stärker reguliert als die Koexistenz souveräner Staaten in der internationalen Gesellschaft.

Doch auch die Souveränität hat ihre Grenzen, und diese sind am offenkundigsten in der Rechtsdoktrin der humanitären Intervention festgelegt. Handlungen und Praktiken die »das Gewissen der Menschheit erschüttern« sind im Prinzip nicht tolerierbar.[5] Angesichts der relativen Machtlosigkeit der internationalen Gesellschaft läuft das allein darauf hinaus, daß jeder Mitgliedstaat berechtigt ist, das Geschehen, vorausgesetzt, es ist hinreichend grauenhaft, mit Gewalt zu beenden. Die Prinzipien der politischen Unabhängigkeit und der territorialen Integrität schützen nicht die Barbarei. Doch ist niemand dazu verpflichtet, zu gewaltsamen Mitteln zu greifen; die Staatengemeinschaft hat keine Organe, deren Aufgabe darin bestünde, untolerierbare

Praktiken abzustellen. Selbst dort, wo es offensichtliche Grausamkeiten großen Maßstabs gibt, ist eine Intervention aus humanitären Gründen ganz und gar freiwillig. Um ein einfaches Beispiel zu nennen: Das Verhalten der Roten Khmer in Kambodscha war moralisch und rechtlich untolerierbar, und da die Vietnamesen beschlossen, in das Land einzumarschieren und die Greuel zu beenden, wurde es auch tatsächlich nicht toleriert. Doch dieses glückliche Zusammenfallen dessen, was nicht tolerierbar ist, und was in der Tat nicht toleriert wird, ist nicht die Regel. Intoleranz aus humanitären Erwägungen ist normalerweise kein hinreichender Grund, um die mit einer Intervention verbundenen Risiken auf sich zu nehmen, und zusätzliche Interventionsgründe, seien sie nun geopolitischer, ökonomischer oder ideologischer Natur, liegen nur selten vor.

Man könnte sich vorstellen, daß die Grenzen der Toleranz auch gegenüber der Souveränität schärfer formuliert werden: Nicht tolerierbare Praktiken souveräner Staaten könnten Gelegenheit zu wirtschaftlichen Sanktionen seitens einiger oder aller Mitglieder der internationalen Gemeinschaft bieten. Die Durchsetzung eines partiellen Handelsboykotts gegen Südafrika zu Zeiten der Apartheid war dafür ein nützliches, wenn auch ungewöhnliches Beispiel. Auch eine kollektive Verurteilung, der Abbruch des Kulturaustausches und aktive Mißbilligung können den Zwecken der Intoleranz aus humanitären Überlegungen dienen, obgleich Sanktionen dieser Art nur selten Erfolge werden verbuchen können.[6] Daher liegt die Schlußfolgerung nahe, daß die internationale Gemeinschaft aus Prinzip tolerant ist und jenseits ihrer Prinzipien, aufgrund ihrer relativen Machtlosigkeit, dann noch toleranter ist.

Die Konföderation

Bevor ich dazu übergehe, den Nationalstaat als eine mögliche tolerante Gesellschaft zu betrachten, möchte ich zuerst über einen in moralischer, nicht aber in politischer Hinsicht potentiellen nächsten Erben des multinationalen Imperiums sprechen: über die Konföderation oder den Zwei- bzw. Drei-Nationalitätenstaat.[7] Beispiele wie Belgien, die Schweiz, Zypern, Libanon und die Totgeburt Bosnien verdeutlichen das Spektrum der Möglichkeiten und auch das drohende Unheil des Scheiterns. Die Konföderation ist ein heroisches Unterfangen, denn sie versucht die imperiale Koexistenz aufrechtzuerhalten, ohne aber über den imperialen Bürokratenstab zu verfügen und ohne die Distanz, die aus den Bürokraten mehr oder weniger unparteiische Regenten macht. Die verschiedenen Gruppen werden nicht von einer ihnen allen übergeordneten Macht toleriert, sie müssen einander tolerieren und unter sich die Bedingungen ihrer Koexistenz aushandeln.

Die Idee ist ausgesprochen reizvoll: Sie bedeutet ein einfaches, ohne Vermittlungsinstanz arrangiertes Zusammenwirken zweier oder dreier Gemeinschaften (in der Praxis heißt das natürlich ihrer Führer und Eliten), das zwanglos zwischen oder unter den Parteien ausgehandelt wird. Sie einigen sich auf eine Verfassung, schaffen Institutionen, teilen Ämter auf und schmieden einen politischen Kompromiß, in dem ihre unterschiedlichen Interessen geschützt werden. Man wird nicht sagen können, daß die Konföderation ein ganz und gar frei geschaffenes Gebäude ist. Für gewöhnlich haben die Gemeinschaften schon lange Zeit miteinander (oder besser nebeneinander) gelebt, bevor sie in offizielle Verhandlungen eintreten. Vielleicht waren sie zuvor Teil eines Imperiums, vielleicht sind sie sich das erste Mal im gemeinsamen Kampf gegen die imperiale Herrschaft nähergekommen. Doch all diesen Verbindungen ging eine Nähe voraus: ein Zusammenleben auf demselben Boden oder auch in denselben Dörfern, entlang einer Grenze, die nur vage bestimmt und leicht zu überschreiten war. Diese Gruppen haben auf lokalen Ebenen miteinander geredet, Handel getrieben, sich bekämpft und wieder Frieden geschlossen, doch stets mit einem Blick auf die Politik oder die Armee eines fremden Herrschers. Nun stehen sie sich allein gegenüber, müssen nur miteinander rechnen.

Unmöglich ist das nicht. Ein Erfolg ist recht wahrscheinlich, wenn die Konföderation aus der Taufe gehoben wird, noch bevor starke nationalistische Bewegungen entstehen und die verschiedenen Gemeinschaften ideologisch aufhetzen. Die besten Verhandlungsführer sind die Eliten der alten »autonomen Gemeinden«, die oft aufrichtige Achtung voreinander empfinden, ein gemeinsames Interesse an Stabilität und Frieden (nicht zuletzt an der Wahrung ihrer Autorität) haben und bereit sind, die politische Macht zu teilen. Doch die von den Eliten ausgearbeiteten Arrangements, in denen sich Größe und ökonomische Potenz der zusammengeschlossenen Gemeinschaften spiegeln, werden danach nur von Dauer sein, wenn ihre soziale Basis stabil bleibt. Die Konföderation hängt davon ab, daß die Dominanz einer der Parteien von der Verfassung in Schranken gehalten wird oder daß die Parteien ungefähr gleich stark sind. Die Ämter werden verteilt, Quoten für den Staatsdienst festgelegt und öffentliche Gelder nach einem Schlüssel zugewiesen, der die Dominanz der einen Gruppe zügelt oder von ungefährer Gleichheit ausgeht. Dank dieser Übereinkünfte lebt jede Gruppe in verhältnismäßiger Sicherheit, entsprechend ihren Sitten, vielleicht sogar nach ihrem eigenen Gewohnheitsrecht, und sie kann ihre Muttersprache nicht nur im Familienkreis sprechen, sondern auch in ihrer eigenen Öffentlichkeit. Die alten Lebensformen bleiben gewahrt.

Erst die Furcht davor, diese könnten gestört werden, führt zur Auflösung der Konföderation. So können soziale und demographische Verschiebungen in den einzelnen Gruppen, die Basis verändern, Größe und Stärke beeinflussen, und dadurch die etablierten Muster von Dominanz oder Gleichheit bedrohen und die alten Übereinkünfte untergraben. Plötzlich gewinnt die eine der Parteien ein bedrohliches Aussehen. Gegenseitige Toleranz beruht auf Vertrauen, auf Vertrauen weniger in den guten Willen des jeweils anderen als in die institutionellen Einrichtungen, die vor den Folgen des Übelwollens schützen. Nun, da die etablierten Arrangements zusammenbrechen, macht die daraus resultierende Unsicherheit jede Toleranz zunichte. Ich kann nicht tolerant bleiben, wenn ich neben einem gefährlichen anderen lebe. Welche Gefahr fürchte ich dann? Ich fürchte, daß die Konföderation sich in einen ganz gewöhnlichen Nationalstaat verkehrt, in dem ich zu einer Minderheit gehöre, angewiesen auf die Toleranz meiner früheren Mitgenossen, die ihrerseits nun auf meine Toleranz verzichten können.

Der Libanon ist das offensichtliche Beispiel für einen solch bedauerlichen Zusammenbruch der konföderativen Übereinkunft, und er war es auch, der mir bei der obigen Beschreibung vorschwebte. Im Libanon fand jedoch nicht nur ein sozialer Wandel statt. Im Prinzip hätte die veränderte Bevölkerungsstruktur oder die neue wirtschaftliche Situation zu neuen Verhandlungen über die alten Übereinkünfte führen können, zu einer simplen Neuverteilung von Ämtern und öffentlichen Mitteln. Die kaum zu überbrückenden Hindernisse für den Erfolg eines solchen Unterfangens ergaben sich erst durch die mit dem sozialen Wandel einhergegangenen ideologischen Veränderungen. Nationalistisches und religiöses Eiferertum sowie seine unvermeidlichen Begleiter, Mißtrauen und Furcht, lösten statt Neuverhandlungen einen Bürgerkrieg aus, der dann die Syrer als imperiale Friedensstifter auf den Plan treten ließ. Vor diesem Hintergrund ist die Konföderation deutlich als ein vorideologisches System zu identifizieren. Toleranz ist nicht dann schon passé, wenn Nationalismus und Religion ins Spiel kommen, und die Konföderation mag immer noch ihre moralisch vorzuziehende Form sein. In der Praxis jedoch ist heutzutage der Nationalstaat das wahrscheinlichere System der Toleranz: Eine im ganzen Land deutlich dominierende Gruppe gibt im öffentlichen Leben den Ton an und toleriert eine nationale oder religiöse Minderheit, statt daß sich zwei oder drei Gruppen, die sich jede an ihrem Ort sicher fühlen dürfen, einander tolerieren.

Nationalstaaten

Bei den meisten Staaten, die Teil der internationalen Gemeinschaft sind, handelt es sich um Nationalstaaten. Ihnen diese Bezeichnung anzuheften, bedeutet nicht, daß sie eine in nationaler, ethnischer oder religiöser Hinsicht homogene Bevölkerung haben. In der Welt von heute ist Homogenität eine selten anzutreffende, wenn nicht gar inexistente Erscheinung. Es bedeutet lediglich, daß eine einzige dominante Gruppe das allgemeine Leben organisiert, und zwar so, daß es Geschichte und Kultur eben dieser Gruppe widerspiegelt und sie, wenn alles nach Wunsch abläuft, an dieser Geschichte weiterspinnt und die Kultur bewahrt. Diese Wünsche und Absichten sind es, die das öffentliche Schulwesen bestimmen, die Symbole und Feste des öffentlichen Lebens, den Kalender staatlicher Feiertage festlegen. Hinsichtlich der unterschiedlichen Geschichte und der verschiedenen Kulturen ist der Nationalstaat nicht neutral, sein politischer Apparat ist eine Maschinerie für die nationale Reproduktion. Um eben dieses Zweckes willen, nämlich die Mittel der Reproduktion zu kontrollieren, streben nationale Gruppen nach Eigenstaatlichkeit. Ihre Mitglieder mögen ihre Hoffnungen weiterspannen und Bestrebungen verfolgen, die von der politischen Expansion und dem Ausbau der Macht bis hin zum Wirtschaftswachstum und einer innerstaatlichen Blüte reichen können. Was aber ihr Unternehmen rechtfertigt, ist immer die menschliche Leidenschaft, die Zeit zu überdauern.

Der von solchen Mitgliedern geschaffene Staat mag nichtsdestoweniger Minderheiten tolerieren, was liberale und demokratische Nationalstaaten ja auch gemeinhin tun. Diese Toleranz nimmt unterschiedliche Formen an, obwohl dazu selten der ungeschmälerte Autonomiestatus für Minderheiten gehört, wie er für die alten Imperien charakteristisch war. Auf besondere Schwierigkeiten stößt die Durchsetzung einer lokalen Autonomie, denn das hieße, Mitglieder der dominanten Nationalität, die in der betreffende Region leben, würden in ihrem eigenen Land einer »fremden« Herrschaft unterworfen. Auch sind körperschaftliche Arrangements eher ungewöhnlich, denn der Nationalstaat ist selbst eine Art kultureller Körperschaft und beansprucht innerhalb seiner Grenzen ein Monopol auf derartige Arrangements.

In Nationalstaaten sind für gewöhnlich nicht Gruppen Gegenstand der Toleranz, sondern Individuen, die generell unter allgemeinen Merkmalen begriffen werden: zunächst als Staatsbürger und dann als Mitglieder dieser oder jener Minderheit. Als Staatsbürger haben sie dieselben Rechte und Pflichten wie jedermann, und man erwartet von ihnen, daß sie sich positiv zur politischen Kultur der Mehrheit stellen. Als Mitglieder einer bestimmten Gruppe haben sie all die Merkmale, die normalerweise ihrer »Art« zukommen, es ist ihnen gestattet, freiwillige Vereinigungen zu bilden, Wohltätigkeitsorganisationen aufzubauen, private Schulen, Kulturvereine und Verlage zu gründen. Nicht erlaubt ist ihnen hingegen, sich autonom zu organisieren und über ihre Mitglieder Recht zu sprechen. Religion, Kultur und Geschichte einer Minderheit sind sozusagen Angelegenheit des privaten Kollektivs, das vom öffentlichen Kollektiv, dem Nationalstaat, immer mißtrauisch beäugt wird. Jeder Anspruch der Minderheitenkultur auch in der Öffentlichkeit sichtbar präsent zu sein, ist wahrscheinlich dazu angetan, die Mehrheit zu beunruhigen, daher auch der Streit in Frankreich über das Tragen muslimischer Kopftücher in staatlichen Schulen. Im Prinzip wird kein Zwang auf die Individuen ausgeübt, wohl aber ist der Druck, sich der dominanten Nation zu assimilieren, zumindest was die öffentlichen Praktiken betrifft, deutlich spürbar, und er war bis in jüngster Zeit auch recht erfolgreich. Wenn deutsche Juden sich im 19. Jahrhundert als »Deutsche auf der Straße und Juden zu Hause« beschrieben, glichen sie sich einer national-staatlichen Norm an, für die Privatheit eine Bedingung der Toleranz war.[8]

Die Sprachenpolitik ist ein entscheidender Bereich, in dem diese Norm sowohl durchgesetzt als auch herausgefordert wird. Für viele Nationen ist die Sprache der Schlüssel zur Einheit, haben sie sich doch zum Teil in einem Prozeß sprachlicher Vereinheitlichung herausgebildet, in dessen Verlauf örtliche Dialekte vom Dialekt des Zentrums verdrängt wurden, obwohl es einem oder zweien manchmal gelang, sich zu behaupten, so daß sie zum Angelpunkt eines vornationalen oder protonationalen Widerstands wurden. Das Erbe dieser Geschichte besteht darin, daß nur mit allergrößtem Zögern toleriert wird, wenn andere Sprachen über die familiären oder religiös-kultischen Zusammenhänge hinaus gesprochen werden. Deshalb pocht die Mehrheit der Nation gemeinhin darauf, daß die nationale Minderheit ihre Sprache lernt und in allen öffentlichen Geschäften gebraucht, etwa wenn sie wählen geht, sich an die Gerichte wendet, einen Vertrag aufsetzt usw.

Minderheiten werden ihrerseits, falls sie stark genug sind, und vor allem wenn sie eine territoriale Basis haben, danach streben, ihrer Sprache in den Staatsschulen, bei Rechtsvorgängen und öffentlichen Akten Legitimation zu verschaffen. Manchmal wird die Minderheitensprache in der Tat als eine zweite Landessprache akzeptiert, häufiger ist es jedoch, daß sie bloß in den Familien, in den Kirchen und an Privatschulen gesprochen wird – oder aber einen langsamen und schmerzhaften Tod stirbt. Gleichzeitig beobachtet die vorherrschende Nation, daß ihre Sprache durch den Gebrauch seitens der Minderheit einen allmählichen Wandel durchmacht. Sprachakademien kämpfen um die »Reinheit« der Sprache oder um das, was sie für Reinheit halten, doch ihre Landsleute sind oft erstaunlich offen in ihrer Bereitschaft, fremde Sprachelemente oder den Sprachgebrauch der Minderheit zu akzeptieren. Auch das ist, wie ich glaube, ein Test für Toleranz.

In Nationalstaaten ist, selbst wenn sie liberal sind, weniger Raum für Differenz als in multinationalen Imperien oder der Konföderation und offensichtlich sehr viel weniger Raum als in der internationalen Gesellschaft. Weil die tolerierten Mitglieder der Minderheiten auch Staatsbürger mit allen dazugehörenden Rechten und Pflichten sind, ist die Wahrscheinlichkeit sehr viel größer, daß ihre Sitten von der Mehrheit weitaus kritischer betrachtet werden als dies in multinationalen Imperien der Fall ist. Diskriminierungs- und Herrschaftsmuster, die innerhalb der Gruppe lange Zeit akzeptiert wurden oder zumindest nicht auf Widerstand stießen, mögen nicht mehr akzeptabel sein, nachdem die Mitglieder den Status des Staatsbürgers erlangt haben. (Diesbezügliche Beispiele werden im 4. Kapitel erörtert.) Hier ist ein doppelter Effekt zu beobachten, dem jede Theorie der Toleranz Beachtung schenken muß. Zwar ist der Nationalstaat weniger tolerant gegenüber Gruppen, doch mag er die Gruppen sehr wohl dazu zwingen, mehr Toleranz gegenüber den einzelnen an den Tag zu legen. Der zweite Effekt ist eine Folge der – partiellen und unvollständigen – Transformation der Gruppen in freiwillige Vereinigungen. In dem Maße wie die internen Kontrollmechanismen geschwächt werden, können Minderheiten ihre Mitglieder nur noch halten, wenn ihre Lehrer zu überzeugen vermögen, wenn ihre Kultur anziehend, ihre Organisationen hilfreich und nützlich und ihre Auffassung von einer Mitgliedschaft liberal und freisinnig sind. Selbstverständlich gibt es noch eine alternative Strategie: die strikte sektiererische Isolation. Dieser Weg bietet allerdings nur die Aussicht, ein kleines Trüppchen wahrer Gläubiger für die Sache zu retten. Wer eine größere Gruppe bei der Stange halten möchte, wird auf offenere und weniger rigide Arrangements nicht verzichten können. Alle derartigen Arrangements bergen jedoch eine Gefahr: Die Eigentümlichkeit der Gruppe und ihrer Lebensform kann sich langsam auflösen.

Trotz dieser Schwierigkeiten hat sich eine Vielzahl bedeutsamer Differenzen, vor allem solche religiöser Art, in liberalen und demokratischen Nationalstaaten behauptet. Oftmals gelingt es Minderheiten tatsächlich, erfolgreich eine gemeinsame Kultur durchzusetzen und lebendig zu erhalten, gerade weil sie unter dem Druck der Mehrheit im Nationalstaat stehen. Sie organisieren sich in sozialer wie psychologischer Hinsicht, um dem Druck widerstehen zu können, und verwandeln ihre Familien, Wohnviertel, Kirchen und Vereinigungen in eine Art von »Heimat«, deren Grenzen sie angestrengt verteidigen. Natürlich setzen sich Individuen ab, gebärden sich wie die Mitglieder der Mehrheit und assimilieren sich langsam an den Lebensstil der Mehrheitskultur, oder sie schließen eine Mischehe und erziehen ihre Kinder so, daß sie keine Erinnerung an oder kein Wissen von der Minderheitenkultur haben. Doch für die meisten Menschen ist eine solche Wandlung des Selbst zu schwierig, zu schmerzhaft oder zu demütigend; sie halten an ihrer Identität und an den Menschen fest, die eine ähnliche Identität haben.

Mehr als religiöse Minderheiten sehen sich nationale Minderheiten gefährdet. Sind sie zudem noch auf einem Territorium konzentriert, wie die Ungarn in Rumänien, so verdächtigt man sie, vielleicht zu Recht, die Hoffnung auf einen eigenen Staat zu hegen oder den Anschluß an einen Nachbarstaat zu suchen, in dem ihre ethnischen Verwandten die souveräne Macht haben. Der arbiträre Prozeß der Staatenbildung erzeugt regelmäßig regional konzentrierte Minderheiten, Gruppen, die stets unter diesem Verdacht stehen und nur mit großer Mühe toleriert werden können. Vielleicht ist es unter diesen Umständen die beste Lösung, die Grenzen enger zu ziehen, und sie ihrer Wege gehen zu

lassen, oder ihnen weitgehend Autonomie einzuräumen.[9] Wir
tolerieren die anderen, indem wir unseren Staat so zusammen-
ziehen, daß sie in einem sozialen, auf ihre Bedürfnisse zuge-
schnittenen Raum leben können. Alternative Lösungen sind natürlich wahrscheinlicher: Die Anerkennung der Sprache und
eine recht beschränkte Übertragung von Verwaltungsaufgaben
sind ziemlich verbreitet, doch gehen sie oft mit Anstrengungen
einher, Mitglieder der Mehrheit in politisch brisanten Grenzre-
gionen anzusiedeln und von Zeit zu Zeit Assimilationskampag-
nen zu starten.

Nach dem Ersten Weltkrieg bemühte man sich, die Tolerierung nationaler Minderheiten in den neuen – durch und durch
heterogenen – »Nationalstaaten« Osteuropas zu garantieren. Als
Garant trat der Völkerbund auf, und die Garantien selbst waren
in einer Reihe von Verträgen über Minderheiten oder National-
itäten enthalten. Passenderweise sprechen diese Verträge von
den Rechten der durch ihre Gruppenzugehörigkeit charakteri-
sierten Individuen, statt von den Rechten der Gruppe. Der Vertrag über die polnische Minderheit richtet sich daher an »Menschen polnischer Nationalität, die hinsichtlich der Rasse, der
Religion oder der Sprache zu einer Minderheit gehören«. Aus einer solchen Bezeichnung folgt nichts über die Autonomie der
Gruppe, über eine regionale Selbstverwaltung oder einen Einfluß auf die Schulen seitens der Minderheit. Tatsächlich war
selbst die Garantie der individuellen Rechte eine bloße Schi-
märe: Die meisten der neu entstandenen Staaten bekräftigten
ihre Souveränität, indem sie die Verträge ignorierten oder gar
annullierten, und der Völkerbund hatte nichts in der Hand, um
ihre Einhaltung durchzusetzen.

Dennoch würde es sich lohnen, diesen fehlgeschlagenen Versuch zu wiederholen. Doch müßte man vielleicht ausdrücklicher
anerkennen, was das über seine Zugehörigkeit definierte Mitglied der Minderheit mit seines- oder ihresgleichen gemein hat.
Die Erklärung der Vereinten Nationen zu den bürgerlichen und

politischen Rechten (1966) vollzieht diesen weiteren Schritt. Es heißt dort: Angehörigen einer Minderheit »soll nicht das Recht verweigert werden, in Gemeinschaft mit anderen Mitgliedern ihrer Gruppe, ihre eigene Kultur zu pflegen, ihre eigene Religion zu haben und auszuüben oder ihre eigene Sprache zu gebrauchen.«[10] Man beachte, daß dieser Wortlaut immer noch die nationalstaatliche Norm erfüllt: Die Gruppe wird nicht als Korporation anerkannt; die Individuen handeln »in Gemeinschaft mit«, und nur die nationale Mehrheit handelt als Gemeinschaft.

In Kriegszeiten wird die Loyalität nationaler Minderheiten gegenüber dem Nationalstaat, ungeachtet der Tatsache, ob sie nun territorial konzentriert oder international anerkannt sind, schnell in Zweifel gezogen, auch wenn alle Indizien für das Gegenteil sprechen, etwa im Fall der deutschen, vor den Nazis nach Frankreich geflohenen Flüchtlinge während der ersten Monate des Zweiten Weltkrieges. Auch hier versagt die Toleranz, wenn die anderen als Gefahr erscheinen, oder wenn nationalistische Demagogen sie als Gefahr darstellen können. Das Schicksal der amerikanischen Japaner ein paar Monate später verdeutlicht denselben Punkt, ihre amerikanischen Mitbürger ahmten, sozusagen, die Nationalstaatlichkeit nach. Tatsächlich aber waren und sind die Japaner keine nationale Minderheit in den Vereinigten Staaten, jedenfalls nicht in dem gewöhnlich Sinn des Wortes – denn wo ist die Mehrheitsnation? In Amerika sind Mehrheiten eine vorübergehende Erscheinung, sie bilden sich zu verschiedenen Zwecken und Gelegenheiten – auch Minderheiten sind oft nur von begrenzter Dauer, obgleich Rasse und Sklaverei für Ausnahmen sorgten, mit denen ich mich später beschäftigen werde. Demgegenüber ist es ein entscheidendes Merkmal des Nationalstaates, daß seine Mehrheit von Dauer ist. Toleranz in Nationalstaaten hat nur eine Quelle, und fließt oder fließt nicht in nur eine Richtung. Der Fall der Vereinigten Staaten rät zu einem ganz anderen Bündel von Arrangements.

Einwanderungsgesellschaften

Das fünfte Modell der Koexistenz und möglichen Toleranz ist die Einwanderungsgesellschaft.[11] Hier haben die Mitglieder der verschiedenen Gruppen ihre territoriale Basis, ihre Heimat hinter sich gelassen. Sie sind als einzelne oder im Familienverband, einer nach dem anderen, in ein neues Land gekommen und haben sich dort zerstreut. Obwohl sie in Wellen ins Land kommen, da sie auf einen ähnlichen politischen oder wirtschaftlichen Druck reagieren, treffen sie nicht als organisierte Gruppen ein. Sie sind keine Kolonisten, die den Plan verfolgen, die Kultur ihres Mutterlandes an den neuen Ort zu verpflanzen. Um der Geselligkeit willen schließen sie sich zu relativ kleinen Gruppen zusammen, aber sie sind stets mit anderen ähnlichen Gruppen in den Städten, den Ländern und den Provinzen gemischt. Daher ist keine irgendwie geartete territoriale Autonomie möglich. (Kanada ist zwar eine Einwanderungsgesellschaft, aber Quebec stellt hier eine offensichtliche Ausnahme dar; seine ursprünglichen Siedler kamen als Kolonisten, nicht als Einwanderer ins Land und wurden erst später von den Engländern erobert. Eine weitere Ausnahme sind die Ureinwohner, die ebenfalls im Zuge der Besiedlung des Landes unterworfen wurden. Ich werde mich hier in erster Linie mit den Einwanderern beschäftigen. Über die Quebecois und die Ureinwohner vgl. den Abschnitt »Kanada« im III. Kapitel; zu den schwarzen Amerikanern, die als Sklaven ins Land geschleppt wurden, vgl. den Abschnitt »Klasse« im IV. Kapitel.)

Ethnische und religiöse Gruppen, die nicht in der Mehrheit aufzugehen wünschen, können dies allein als rein freiwillige Vereinigungen tun. Das heißt, es droht ihnen mehr Gefahr von der Gleichgültigkeit ihrer Mitglieder als von der Intoleranz anderer Menschen. Ist der Staat erst einmal den Händen der ersten Einwanderer entrissen, die immer in dem Glauben handelten, sie würden einen eigenen Nationalstaat schaffen, ist er keiner der

ihn bildenden Gruppen verpflichtet. Er hält an der Sprache der
ersten Einwanderer und mit gewissen Einschränkungen auch an
ihrer politischen Kultur fest, doch so weit es sich um gegenwärtige Privilegien handelt, ist der Staat, wie man heute sagt, im
Prinzip hinsichtlich der Gruppen neutral, er toleriert sie alle und
verfolgt autonome Zwecke.

Der Staat beansprucht die alleinige Gerichtsbarkeit und betrachtet alle seine Bürger als Individuen und nicht als Mitglieder
von Gruppen. Daher ist, um es ganz genau zu sagen, der Gegenstand der Toleranz die Entscheidungen und das Verhalten der
einzelnen: Beitrittserklärungen, die Teilnahme an Ritualen der
Zugehörigkeit und an religiösen Kulten, das Feiern kultureller
Differenz usw. Die Bürger sind als Individuen dazu aufgefordert, einander als Individuen zu tolerieren und die Differenz in
jedem Fall als eine persönliche – und weniger als kollektive –
Ausprägung der Gruppenkultur aufzufassen, was auch bedeutet,
daß die Mitglieder jeder Gruppe, wenn sie die Tugend der Toleranz üben, wechselseitig die verschiedenen Ausprägungen akzeptieren müssen. Schon bald existieren viele Spielarten der Kultur jeder Gruppe und viele unterschiedliche Grade der Bindung
an sie. Toleranz nimmt so eine durch und durch dezentralisierte
Form an – jeder hat jeden zu tolerieren.

In einer Einwanderungsgesellschaft ist es keiner Gruppe erlaubt, sich durch Zwang zu organisieren, Kontrolle über die Öffentlichkeit an sich zu reißen oder öffentliche Mittel zu mono-
polisieren. Jede Form von Korporatismus ist ausgeschlossen. Im
Prinzip unterrichten die Schulen die Geschichte und die »Ge-
meinschaftskunde« des Staates, dessen Identität politisch und
nicht national begriffen wird. Diesem Prinzip wird natürlich nur
langsam und unvollkommen Geltung verschafft. Seit der Grün-
dung öffentlicher Schulen in Amerika hat man in ihnen haupt-
sächlich die Geschichte und Kultur unterrichtet, die von den
englischen Amerikanern als die ihre betrachtet wurde, eine Geschichte und Kultur, deren Wurzeln bis nach Griechenland und

Rom zurückreichen und die die klassischen Sprachen und die klassische Literatur einschließt. Für diesen Standardlehrplan gab und gibt es noch immer eine nicht von der Hand zu weisende Rechtfertigung, selbst noch nach den Einwanderungswellen Mitte des 19. Jahrhunderts – als viele Deutsche und Iren ins Land kamen – und nach der Jahrhundertwende, als die Süd- und Osteuropäer kamen, denn die politischen Institutionen Amerikas lassen sich am besten vor diesem Hintergrund verstehen. In jüngerer Zeit und im Laufe einer dritten Einwanderungswelle, diesmal aus überwiegend nichteuropäischen Ländern, wurden Anstrengungen unternommen, Geschichte und Kultur all dieser verschiedenen Gruppen zu unterrichten, um eine Art von Gleichbehandlung sicherzustellen und »multikulturelle« Schulen zu schaffen. In Wirklichkeit aber dominiert die westliche Tradition weiterhin die Lehrpläne der meisten Schulen.

Ähnlich wird vom Staat erwartet, daß er sich gegenüber den Kulturen der einzelnen Gruppen vollkommen indifferent verhält oder alle Gruppen gleichermaßen unterstützt, beispielsweise wenn er eine Art allgemeiner Religiosität fördert, wie es bei den Plakaten in Zügen und Bussen geschah, die während der 1950er Jahre alle Amerikaner aufforderten, »die Kirche ihrer Wahl zu besuchen«. Wie diese Maxime verdeutlicht, ist Neutralität stets eine Frage des Grades. Einige Gruppen werden tatsächlich gegenüber anderen begünstigt, in diesem Fall sind es die Gruppen mit »Kirchen«, die mehr oder weniger jenen der ersten protestantischen Einwanderer gleichen; doch auch die anderen werden noch immer toleriert. Außerdem wird der Kirchenbesuch oder irgendeine andere besondere Kulturpraxis nicht zu einer Bedingung für die Staatsbürgerschaft gemacht. Es ist daher verhältnismäßig leicht und keineswegs demütigend, seine eigene Gruppe zu verlassen und die herrschende politische Identität anzunehmen – in diesem Fall »Amerikaner«.

Viele Bürger einer Einwanderungsgesellschaft ziehen jedoch eine doppelte oder eine Bindestrich-Identität vor, die sich aus einer kulturellen und einer politischen Identität zusammensetzt. Der Bindestrich des Italo-Amerikaners etwa symbolisiert die Akzeptanz des »Italiener-Seins« durch andere Amerikaner, die Anerkennung, daß das »Amerikaner-Sein« eine politische Identität ohne starke oder spezifisch kulturelle Ansprüche ist. Infolgedessen bezeichnet »Italo« eine kulturelle Identität ohne politische Ansprüche. Das ist die einzige Form, in der das »Italiener-Sein« toleriert wird, und Italo-Amerikaner müssen dann privat, durch die freiwilligen Anstrengungen und Beiträge engagierter Männer und Frauen, solange sie wollen und können dafür sorgen, daß ihre eigene Kultur nicht untergeht. Und das gilt im Prinzip für alle kulturellen oder religiösen Gruppen, nicht nur für Minderheiten, denn, um es noch einmal zu sagen, es gibt keine dauerhafte Mehrheit.

Ob Gruppen sich unter diesen Bedingungen, also ohne Autonomiestatus, ohne Zugang zu staatlicher Macht oder einer offiziellen Anerkennung, ohne eine territoriale Basis oder einen festen Gegensatz zu einer dauerhaften Mehrheit erhalten können, ist eine Frage, deren Beantwortung noch aussteht. Religiöse Gruppen, ob sektiererischer oder »kirchlicher« Art, haben sich bis heute in den Vereinigten Staaten nicht schlecht gehalten. Ein Grund für ihren verhältnismäßigen Erfolg mag darin liegen, daß viele von ihnen tatsächlich auf beträchtliche Intoleranz gestoßen sind, denn wie ich bereits sagte, wirkt Intoleranz positiv auf den Zusammenhalt der Gruppe. Ethnische Gruppe haben sich weniger gut behauptet, obwohl Beobachter, die schon ihr Ende voraussagten, sehr wahrscheinlich vorschnell geurteilt haben. Diese Gruppen überleben sozusagen in einer doppelten Bindestrich-Form: Die Kultur der Gruppe ist beispielsweise ameriko-italienisch, was heißt, sie nimmt eine stark amerikanisierte Form an und hat sich zu etwas gewandelt, das von der italienischen Kultur des Heimatlandes recht verschieden ist, während ihre Politik italo-amerikanisch ist, eine ethnische Adaptation lokaler politischer Praktiken und Stile. Man betrachte nur, in welchem

Maße John Kennedy ein irischer »pol« blieb, Walter Mondale ist immer noch ein norwegischer Sozialdemokrat, Mario Cuomo ein italienischer christdemokratischer Intellektueller-in-der-Politik und Jesse Jackson stets ein schwarzer Baptistenprediger; jeder von ihnen ähnelt in vielerlei Hinsicht dem normalen angloamerikanischen Typus, aber sie unterscheiden sich von ihm auch in den genannten Hinsichten.[12]

Ob diese Unterschiede noch in der nächsten oder der übernächsten Generation bestehen werden, ist ungewiß. Vermutlich wird man nicht damit rechnen können, daß sie unverändert fortdauern. Das heißt aber nicht, daß die Nachfolger dieser vier exemplarischen Gestalten alle genau gleich aussehen werden. Die Formen, die die Differenz in einer Einwanderungsgesellschaft charakterisieren, sind immer noch im Entstehen begriffen. Wir wissen nicht wie »unterschieden« die Differenz letztlich sein wird. Die Tolerierung individueller Entscheidungen und persönlicher Ausprägungen von Kultur und Religion konstituiert das maximale – oder das dichteste – System der Toleranz. Ganz und gar unausgemacht ist allerdings, ob dieser Maximalismus langfristig ein Gruppenleben stärken oder auflösen wird.

Die Furcht, daß Toleranz bald nur noch ein Objekt haben wird, nämlich exzentrische Individuen, veranlaßt einige Gruppen oder ihre engagiertesten Mitglieder dazu, tatkräftige Unterstützung beim Staat zu suchen, etwa in Form von Subventionen und Ausgleichszahlungen für ihre Schulen und Wohltätigkeitsorganisationen. Angesichts der Logik des Multikulturalismus kann der Staat, sofern er überhaupt Hilfe gewährt, dies nur dann tun, wenn er allen sozialen Gruppen dasselbe zukommen läßt. In der Praxis jedoch stehen einigen Gruppen von Anfang an mehr Mittel zur Verfügung, was sie in die Lage versetzt, die möglichen Angebote des Staates besser zu nutzen. Die Zivilgesellschaft weist daher verschiedene Organisationsgrade auf, es gibt starke und schwache Gruppen, die mit unterschiedlich gutem Erfolg ihre Mitglieder unterstützen und an sich binden können. Würde der Staat das Ziel verfolgen, zwischen all den Gruppen Gleichheit herzustellen, so müßte er beträchtliche Umverteilungen der Ressourcen vornehmen und einen erheblichen Betrag an öffentlichen Geldern dafür aufwenden. Toleranz kennt zumindest ihrer Möglichkeit nach keine Grenzen, der Staat hingegen kann das Gruppenleben nur innerhalb gewisser politischer und finanzieller Grenzen unterstützen.

Zusammenfassung

Es scheint mir hilfreich, an dieser Stelle die jeweiligen Objekte der Toleranz in den fünf Systemen aufzulisten. Die Reihenfolge soll keineswegs suggerieren, daß die fünf Systeme jeweils einen Fortschritt gegenüber dem zuvor genannten System bezeichnen, noch sind sie in einer strikt chronologischen Ordnung vorgestellt worden. Das multinationale Imperium wie auch die internationale Gemeinschaft toleriert die Gruppe, gleichgültig, ob sie nun den Status einer autonomen Gemeinschaft genießt oder einen souveränen Staat verkörpert. Ihre Gesetze, ihre religiösen Kulthandlungen, ihre Rechtsprechung, ihre Besteuerung und Verteilungspolitik, ihre Bildungsprogramme und Familieneinrichtungen gelten alle als legitim und erlaubt, und sind nur minimalen und selten strikt durchgesetzten oder durchsetzbaren Beschränkungen unterworfen. Ähnliches gilt für die Konföderation, doch hier tritt noch ein weiteres Merkmal hinzu: die gemeinsame Staatsbürgerschaft, die sehr viel weiter reicht als in den meisten Imperien, und die dem Staat zumindest die Möglichkeit eröffnet, um der Rechte des einzelnen willen die Praktiken der Gruppen zu beschneiden. In demokratischen Konföderationen – man denke an die Schweiz – wird diese Möglichkeit voll ausgeschöpft. Doch werden Rechte nicht effektiv geschützt werden können, wenn die Demokratie, wie so häufig der Fall, schwach ist, und der Staat von den zusammengeschlossenen Gruppen nur geduldet wird und in der Hauptsache damit beschäftigt ist, ein Auseinanderbrechen zu verhindern.

In Nationalstaaten kommt der Staatsbürgerschaft eine größere Bedeutung zu. In ihnen sind die Objekte der Toleranz die Individuen, die sowohl als Bürger wie auch als Mitglieder einer bestimmten Minderheit gelten. Sie werden sozusagen unter ihrem »Gattungsnamen« toleriert. Doch die Zugehörigkeit zu einer Gattung wird im Gegensatz zur Staatsbürgerschaft nicht von diesen Individuen erwartet. Ihre Gruppen können keinerlei Zwangsautorität über sie ausüben, und der Staat würde gewaltsam einschreiten, um die einzelnen vor irgendwelchen Zwangsmaßnahmen der Gruppen zu schützen. Daher eröffnen sich neue Möglichkeiten: Man kann locker mit einer Gruppe verbunden sein, sich überhaupt keiner Gruppe anschließen oder sich der Mehrheit anpassen. In Einwanderungsgesellschaften erweitern sich diese Möglichkeiten noch. Individuen werden als Individuen toleriert, gewissermaßen unter ihrem eigenen Namen, nicht dem einer Gruppe, und ihre Entscheidungen werden eher als persönliche begriffen denn als gruppentypische. Nun treten auch persönliche Varianten des Gruppenlebens auf, es ergeben sich viele verschiedene Möglichkeiten, so oder anders zu sein, die von den anderen Gruppenmitgliedern zu tolerieren sind, und sei es nur, weil sie von der Gesellschaft als ganzer toleriert werden. Die Orthodoxie fundamentalistischer Gruppen sperrt sich dagegen, indem sie sich weigert, in dieser allgemeinen Toleranz einen Grund dafür zu sehen, einen weitherzigeren und duldsameren Begriff ihrer eigenen religiösen Kultur zu entwickkeln. Manchmal bekämpfen ihre Protagonisten das ganze System der Toleranz in Einwanderungsgesellschaften.

III. KOMPLIZIERTE FÄLLE

Jeder Fall ist ein Fall für sich, wie jeder, dessen Fall es gerade ist, wohl weiß. Jetzt wende ich mich drei Ländern zu, die offenbar besonders schlecht in die Kategorien passen, welche im II. Kapitel entwickelt wurden. In allen dreien geht es um sozial oder verfassungsmäßig gemischte Systeme, die doppelt oder dreifach geteilt sind und es daher geboten erscheinen lassen, daß verschiedene Arten von Toleranz gleichzeitig praktiziert werden. Sie spiegeln die übliche Komplexität des »wirklichen Lebens« wider, von dem meine Kategorien nun einmal unumgänglich abstrahieren. Anschließend werde ich mich kurz mit der Europäischen Union beschäftigen, die in ihrer Art etwas völlig Neues ist, nicht so sehr im Hinblick auf ihre Mischung von Systemen, als vielmehr im Hinblick auf deren Integration in eine sich erst entwickelnde Verfassungsstruktur.

Frankreich

Frankreich eignet sich besonders für eine Fallstudie, weil es der klassische Nationalstaat und gleichzeitig Europas führende Einwanderungsgesellschaft ist; tatsächlich ist es sogar in dieser Beziehung eine der führenden Gesellschaften weltweit. Das Ausmaß der Einwanderung ist durch die außerordentlich starke Assimilationsfähigkeit der französischen Nation verdunkelt, so daß man sich unter Frankreich eine homogene Gesellschaft mit einer von anderen Kulturen deutlich unterschiedenen, ja einzig-

artigen Kultur vorstellt. Bis vor ganz kurzer Zeit verstanden sich
die gewaltigen Kontingente an Einwanderern aus dem Osten
und Süden (Polen, Russen, Juden, Italiener und Nordafrikaner)
nie als organisierte nationale Minderheiten. Sie pflegten ihre Gemeinschaft durch Organisationen verschiedener Art – Verlags-
häuser, fremdsprachige Zeitungen usw. –, doch mit der Ausnahme kleiner Gruppen politischer Flüchtlinge, die aber auch
nicht auf Dauer zu bleiben gedachten, verbanden sie sich nur
zum Zweck gegenseitiger Unterstützung und Hilfeleistung, während sie im übrigen von seiten der französischen Politik und
Kultur einem hohen Assimilationsdruck ausgesetzt waren. Weit
mehr denn jedes andere europäische Land ist Frankreich eine
Einwanderungsgesellschaft gewesen.[1] Und doch ist es eben
keine pluralistische Gesellschaft – zumindest hält es sich weder
selber dafür, noch wird es dafür gehalten.

Die plausibelste Erklärung für diese Anomalie – die phy-
sische Präsenz kultureller Differenz bei fehlender begrifflicher
Aufbereitung – liegt in der modernen französischen Geschichte,
vor allem in dem revolutionären Gebäude eines republikanischen Nationalstaats. Der Nationalismus, das Produkt eines politischen Kampfes gegen die Kirche und das Ancien régime, war
politisch und populistisch geprägt. Er feierte das Volk als eine
verschworene Gemeinschaft von Staatsbürgern. Obwohl deren
Sache so französisch wie republikanisch war, handelte es sich
hier um kein religiös, ethnisch oder historisch definierbares
Franzosentum. Franzose wurde man in diesem neuen Sinn des
Wortes, indem man Republikaner wurde. Auf dem Höhepunkt
der Revolution hieß man auch Ausländer willkommen, genauso
wie, mit einigen Unterbrechungen, in den Jahren seither, sofern
sie nur die französische Sprache lernten, die Sache der Republik
zu ihrer eigenen machten, ihre Kinder auf staatliche Schulen
schickten und den 14. Juli begingen.[2]

Von den Einwanderern wurde erwartet, daß sie es unterlie-
ßen, irgendeine Art ethnischer und potentiell konfliktträchtiger

Gemeinschaft parallel zu der Gemeinschaft der Staatsbürger zu errichten. Die französische Abneigung gegen alle Arten von Vereinigungen, die irgendwelche Unterschiede zwischen den Staatsbürgern machen, ist in Rousseaus politischer Theorie vorweggenommen und wurde zuerst in aller Klarheit in der Debatte der verfassunggebenden Versammlung über die Judenemanzipation 1791 ausgesprochen. Der Abgeordnete Clermont-Tonnerre, ein Mann der Mitte, sprach für die Mehrheit, die für die Emanzipation eintrat, als er erklärte:»Den Juden als Nation ist alles zu verweigern, den Juden als Menschen alles zu gewähren.«[3] Jean-Paul Sartre schrieb 1944, das sei immer noch die Position des typisch französischen ›Demokraten‹:»Daraus folgt, daß seine Verteidigung des Juden den Juden als Menschen rettet und als Juden vernichtet … Sie erhält ihn als Menschen, als allgemeines Subjekt der Menschen- und Bürgerrechte.«[4] Individuen ließen sich naturalisieren und assimilieren. ›Franzose‹ war in diesem Sinn eine expansive Identität. Was Frankreich als republikanischer Nationalstaat nicht tolerieren könne, so hatte Clermont-Tonnerre insistiert, ist »eine Nation in der Nation«.

Die Revolution hat mithin die französische Einstellung gegenüber allen Gruppen von Einwanderern geprägt. Sie war aus einem Guß mit der früheren, beharrlichen Leugnung, daß Normannen, Bretonen oder Okzitanier eine echte nationale Minderheit darstellen. Und man muß zugeben, die französischen Republikaner haben über die Jahre bemerkenswert erfolgreich verstanden, das auf Einheit dringende Ideal der Revolution aufrechtzuerhalten. Die Einwanderer assimilierten sich allerdings auch mehr oder weniger willig und waren froh, sich französische Staatsbürger nennen zu dürfen. Nur als Individuen wollten sie toleriert sein – als Männer und Frauen, die beispielsweise eine Synagoge besuchen oder zu Hause Polnisch sprechen oder russische Poesie lesen. Sie entwickelten keinen politischen Ehrgeiz als Angehörige einer separaten Minderheit.

So standen die Dinge bis zum Zusammenbruch des Kolo-
nialreichs und bis eine große Zahl nordafrikanischer Juden und
eine noch weitaus größere Zahl arabischer Muslime nach Frankreich strömten. Teils aufgrund ihres zahlenmäßigen Gewichts,
teils aufgrund eines ideologischen Klimawechsels, begannen
diese Gruppen, das republikanische Ideal auf die Probe zu stellen und dann offen herauszufordern. Sie haben eigenständige
Kulturen, an deren Erhaltung und Weitergabe ihnen liegt. Mit
geringerer Bereitwilligkeit als ihre Vorgänger überlassen sie ihre
Kinder den staatlichen Schulen, die ihre Aufgabe in der Frankisierung sehen (man spricht zwar von ›Amerikanisierung‹, aber
›Frankisierung‹ sagt man nicht: So unbewußt hat sich das bisher
abgespielt).[5] Sie wollen als Gruppe anerkannt sein und verlangen das Recht, ihrer Gruppenidentität öffentlich Ausdruck zu
verleihen. Sie wollen französische Staatsbürger sein, während sie
doch wie bisher neben den Franzosen leben, und viele von ihnen sind gegenüber jenen jüdischen oder arabischen Mitbürgern
intolerant, die für sich oder und ihre Kinder immer noch auf die
althergebrachte Assimilation setzen.

Das unmittelbare Ergebnis ist ein labiles Gleichgewicht zwischen den republikanischen Verfechtern der Assimilation (vertreten durch die Regierung, die politischen Parteien rechts und
links, die Lehrergewerkschaft usw.) und den neuen Einwanderungsgruppen (vertreten durch gewählte oder selbsternannte
Führer und militante Streiter). Die Republikaner versuchen, an
einer universalen, uniformen Gemeinschaft von Staatsbürgern
festzuhalten, und sie sind religiöser oder ethnischer Differenz
gegenüber nur so lange tolerant, wie diese in privaten oder familiären Kreisen kultiviert wird – die klassische nationalstaatliche
Norm. Die Neueinwanderer, oder jedenfalls viele von ihnen,
legen es auf irgendeine Version des Multikulturalismus an, obwohl sie in aller Regel auf dessen amerikanische Version nicht
vorbereitet sind, in der jede einzelne Kultur wieder Unterschiede
in sich birgt und daher intern Konflikte austragen muß. Was

ihnen in Wahrheit vorschwebt, ist eine Art Milletsystem, ein Autonomiestatus für ihre jeweilige Subkultur, eine heimische Neuauflage der Kolonialverhältnisse.

Israel

Israel ist ein noch komplizierterer Fall als Frankreich, denn es schließt drei der vier innerstaatlichen Systeme ein, und das vierte System wurde auch schon einmal in Vorschlag gebracht. Eine Fraktion der zionistischen Bewegung trat während der dreißiger und vierziger Jahre für eine arabisch-jüdische Konföderation ein, einen binationalen Staat. Dieser Plan erwies sich als undurchführbar, weil der Hauptstreitpunkt zwischen Juden und Arabern die Einwanderungspolitik war. Die Frage lautete nicht, wie ein System der Toleranz zu organisieren wäre (innerhalb welcher Strukturen würden Juden und Araber am ehesten miteinander auskommen?), sondern wer an einem solchen überhaupt teilhaben sollte (wie viele Juden und Araber sollen es sein?). Hinsichtlich dieser zweiten Frage konnten die beiden Volksgruppen zu keiner Einigung kommen. Das Einwanderungsproblem war für die Juden während der dreißiger und vierziger Jahre besonders drängend. Es bildete geradezu das Hauptmotiv für die Errichtung eines unabhängigen jüdischen Staates.

Dieser Staat ist offensichtlich keine Konföderation. Nichtsdestoweniger ist er tief gespalten und zwar in drei unterschiedlichen Beziehungen. Erstens ist das Israel von heute ein Nationalstaat, der von einer nationalistischen Bewegung des klassischen Typs errichtet wurde, wie sie uns aus dem 19. Jahrhundert geläufig ist. Dieser Staat schließt eine ansehnliche »nationale Minderheit« ein, die palästinensischen Araber. Einige Angehörige dieser Minderheit sind auch Staatsbürger, ohne daß sie jedoch ihre ei-

gene Geschichte oder Kultur im öffentlichen Leben irgendwie
widergespiegelt fänden. Zweitens ist Israel einer der Nachfolge-
staaten des Osmanischen Reichs (bei einer durch das britische
Reich vermittelten Nachfolge) und hat das sogenannte Milletsystem für seine verschiedenen religiösen Gemeinschaften, Juden,
Muslime, Christen, beibehalten, d. h., es erlaubt ihnen, Familien-
gerichte in eigener Regie zu betreiben, und sorgt in der Schule
für teilweise unterschiedliche Curricula. Drittens ist Israels jüdische Bevölkerungsmehrheit eine Gesellschaft von Einwanderern, die von überallher aus einer weit verstreuten Diaspora
stammen – ein »Einsammeln« von Männern und Frauen, die
faktisch, trotz ihres gemeinsamen Judentums (das aber auch bisweilen kontrovers ist), sehr unterschiedliche kulturelle Hintergründe haben. Die Unterschiede sind manchmal ethnischer,
manchmal religiöser Art. Sie bilden eine in sich segmentierte Bevölkerungsmehrheit, die ein Gemeinschaftsgefühl nur in Kon-
frontation mit der Militanz der Minderheit entwickelt – und
selbst dann nicht immer. Der Zionismus ist sicherlich eine
starke, nationbildende Kraft, hat aber nicht die Assimilationsfähigkeit des französischen Republikanismus.

Jede dieser knappen Beschreibungen steht, wie bisher, für
einen Idealtypus; jedes System – Nationalstaat, Imperium, Einwanderungsgesellschaft – sieht hier im großen und ganzen so
aus, wie es aussähe, wenn es für sich existierte. In der Praxis
jedoch üben die drei vielfältig Druck aufeinander aus und produzieren Spannungen und Konflikte noch über die hinaus, die
jedes schon für sich genommen impliziert.[6] Das Milletsystem
beispielsweise schließt die einzelnen in ihre religiösen Gemeinschaften ein, aber das sind eben nicht die natürlichen oder einzig möglichen Gemeinschaften aller Staatsbürger – insbesondere nicht die von jüdischen Einwanderern aus Westeuropa,
vom amerikanischen Kontinent und aus der früheren Sowjetunion, von denen viele radikal verweltlicht oder nach ihrer eigenen Façon religiös sind. Sie erfahren die rabbinischen Gerichte

als intolerant und repressiv, als Überbleibsel eines Ancien régime, mit dem sie keine Tradition verbindet.

Ähnlich erfährt die arabische Minderheit die jüdischen Einwanderer als ein Ärgernis, als eine Bedrohung – nicht nur deshalb, weil diese ihre eigene Minderheitenposition zementieren, sondern auch, weil sie den politischen Kampf um Anerkennung und Gleichbehandlung dominieren. Im Unterschied zu den Arabern erwarten diese Einwanderer, ihre Geschichte und Kultur im öffentlichen Leben des jüdischen Staates wiederzufinden, ohne daß das jedoch immer der Fall wäre. Verschieden wie sie sich selber fühlen, gelangen sie dazu, eine Spielart staatlicher Neutralität oder des Multikulturalismus zu fordern, wie sie zwar Einwanderungsgesellschaften charakterisiert, aber eben nicht das ist, was die zionistische Gründergeneration sich vorgestellt hatte. Obwohl diese Arrangements im Prinzip genauso für die Araber gelten, tun sie es in der Praxis oft genug nicht – oder sie gelten für sie nur in einem formellen Sinn, so daß arabische Schulen zum Beispiel keinen gerechten Anteil an den staatlichen Geldern erhalten.[7] Die Anstrengung, innerhalb der Einwanderer, d.h. innerhalb der Juden, gegenseitige Tolerierung zu erreichen, hat den Vorrang vor der Anstrengung, den jüdischen Staat seiner arabischen Minderheit gegenüber wirklich tolerant zu machen. Natürlich wird dieser Vorrang noch verstärkt durch den internationalen Konflikt zwischen Israel und seinen arabischen Nachbarn, doch spiegelt er auch die schwierige Koexistenz der verschiedenen Systeme.

Die Toleranz fällt unter diesen Umständen noch schwerer, weil man nicht genau weiß, welches eigentlich ihr Gegenstand ist: Individuen oder Gemeinschaften? Und wenn letztere, ob diese Gemeinschaften religiös, national oder ethnisch sind? Vermutlich wird man nichts davon ausschließen dürfen: Sie haben alle diese Merkmale. Gesetzt, der internationale Konflikt würde sich lösen lassen, dann könnte die Toleranz in einer solchen dreifach gespaltenen Gesellschaft leichter zu bewerkstelligen sein als in den vielen Fällen einer einfachen Spaltung, weil sie sich gewissermaßen in unterschiedlicher Richtung bewegen und durch unterschiedliche institutionelle Strukturen vermittelt sein würde. Aber diese Vermittlung setzt eine schrittweise Revision der Strukturen voraus, die Anpassung einer jeden von ihnen an die anderen. Was würde ein solcher Prozeß erfordern? Vielleicht eine Vermehrung der religiösen Gerichte, um auf diese Weise die tatsächlichen Spaltungen in den drei Gemeinschaften manifest zu machen. Vielleicht auch eine Art lokaler Autonomie für arabische Städte und Dörfer. Vielleicht einen einheitlichen Gemeinschaftskundeunterricht, der die Werte von Demokratie, Pluralismus und Toleranz vermitteln würde und für alle staatlichen Schulen obligatorisch wäre, die arabischen und jüdischen, die weltlichen und religiösen. Die erste dieser Empfehlungen würde das Milletsystem einer Einwanderungsgesellschaft anpassen; die zweite würde den Nationalstaat für seine nationale Minderheit verträglicher gestalten; die dritte würde die Ansprüche desselben Staats nach Weise einer Einwanderungsgesellschaft artikulieren – nämlich in politischen oder moralischen statt in nationalen, religiösen oder ethnischen Kategorien. Aber genauso leicht ist vorstellbar, daß jedes seiner drei Systeme Israel immer wieder in die Krise führt, nicht zuletzt an ihren »Reibungsflächen«.

Kanada

Kanada ist eine Einwanderungsgesellschaft mit einer ganzen Anzahl nationaler Minderheiten – die verschiedenen Ureinwohner und die Franzosen –, die zugleich besiegte Nationen sind. Diese Minderheiten leben nicht verstreut, wie Einwanderer es zu tun pflegen, und sie haben jeweils eine ganz verschiedene Geschichte. Wie dieser oder jener hergekommen ist, hat sich nicht in ihrem kollektiven Gedächtnis festgesetzt. Statt dessen er-

zählen sie die Geschichte eines weit zurückreichenden Gemeinschaftslebens. Ihr Wunsch geht dahin, dieses Leben weiterzu-
führen, und sie haben die Sorge, in der nur locker organisierten,
hochmobilen, individualistischen Einwanderungsgesellschaft
könnte das nicht möglich sein. Selbst von streng multikulturell
konzipierten Maßnahmen haben Minderheiten dieser Art kaum
etwas zu erhoffen, denn all solche Maßnahmen fördern lediglich
›Bindestrich‹-Identitäten, d.h. bereits fragmentierte Identitäten,
bei denen jeder einzelne den Bindestrich für sich austariert und
sich eine Art Einheit schafft. Jene Minderheiten hingegen wollen eine kollektiv ausgehandelte Identität, und zu diesem Zweck
brauchen sie ein kollektives Handlungssubjekt, das mit genügend politischer Autorität ausgestattet ist.

Für die Einwohner der Provinz Quebec ist das Allerwich-
tigste die Frankophonie, also die Bewahrung der französischen
Landessprache, gegenwärtig ihr Hauptunterscheidungsmerkmal.
Ansonsten unterscheidet sich ihr Alltagsleben nicht erheblich
von dem anderer Kanadier. Die Nationen der Ureinwohner besitzen nach wie vor ihre eigene, deutlich unterschiedene, sich
über die ganze Bandbreite sozialer Aktivitäten erstreckende Kultur sowie ihre eigenen Sprachen. Beide Gruppen werden wohl
einen gewissen Grad von Autonomie innerhalb Kanadas (oder
auch die Unabhängigkeit von Kanada) benötigen, wenn sie sich
in der gegenwärtigen Form erhalten können sollen. Erheischt
Toleranz, daß man ihnen gestattet, das in Ausübung politischer
Macht und unter Einsatz der erforderlichen Zwangsmittel zu
tun oder zu tun zu versuchen? Wieso sollte man von ihnen nicht
verlangen, daß sie sich dem Modell einer Einwanderungsgesellschaft anbequemen?

Aber weder die Ureinwohner noch die Einwohner der Provinz Quebec sind Einwanderer. Sie haben nie in die kulturellen
Risiken und Verluste eingewilligt, die jede Einwanderung mit
sich bringt. Die Franzosen kamen als Siedler. Und die Ureinwohner sind eben Ureinwohner, also Siedler aus früheren Ta-

gen. Sowohl die Ureinwohner als auch die Franzosen wurden in Kriegen unterworfen, die wir vermutlich als völkerrechtswidrig einstufen würden (allerdings dürften die französisch-britischen Kriege auch auf beiden Seiten ungerecht gewesen sein, denn es ging darum, wer die Herrschaft über die ›Indianer‹ bekäme). Bei einer Geschichte dieser Art scheint ein gewisser Autonomiestatus durchaus gerechtfertigt. Allerdings ist es keine leichte Sache, einen solchen Vertrag auszuhandeln, weil das bedeutet, eine Verfassung zu entwerfen, in der verschiedene Menschen unterschiedlich behandelt und unterschiedliche Systeme in verschiedenen Teilen desselben Landes errichtet würden – eines Landes, das dem liberalen Grundsatz der Gleichheit vor dem Gesetz verpflichtet ist.

Die bei den Kanadiern bisher festzustellende Weigerung, den ›Sonderstatus‹ für Quebec in der Verfassung zu verankern – die Hauptursache der sezessionistischen Agitation in der Provinz –, erklärt sich aus diesem liberalen Glaubensbekenntnis. Warum sollte diese Provinz anders als alle anderen behandelt werden? Warum sollten ihrer Regierung Befugnisse zugestanden werden, die den anderen vorenthalten bleiben? Ich habe schon auf eine historische Antwort auf diese Fragen hingewiesen, eine Antwort, die sich sogar auf den Wortlaut der französischen Kapitulation von 1760 und auf den *Quebec Act* von 1776 stützen kann, der Quebec dem britischen Empire eingliederte. Die Eingliederung vollzog sich ganz nach dem Muster des imperialen Multinationalismus: Sie »garantierte, daß die römisch-katholische Religion, die französische Sprache, die Eigentumsordnung und die aus der französischen Zeit vertrauten Gesetze und Regierungsformen beibehalten würden, bis eine gesetzgebende Versammlung konstituiert wäre. Die Gesetzgeber von Quebec könnten alsdann diese alten Formen nach Gutdünken abändern.«[8]

Läßt sich ein Arrangement dieser Art in einen liberalen Staat und eine Einwanderungsgesellschaft übernehmen, deren andere Gruppen über keine solchen ›Garantien‹ verfügen? Die Frage ist nicht ohne weiteres zu beantworten. Aber sobald sie auf Gruppen ausgedehnt wird, die wirklich unterschiedlich sind, die eine unterschiedliche Geschichte und Kultur haben, erfordert Toleranz doch wohl irgendeine Art rechtlicher und politischer Differenzierungsbereitschaft. Charles Taylors Plädoyer zugunsten eines »asymmetrischen Föderalismus« beruft sich dabei keineswegs nur auf die Geschichte oder die Verträge; es hat seinen überaus konkreten Grund in den gegenwärtig überdauernden Unterschieden und im Willen der Menschen, die diese Unterschiede in der Absicht kultivieren, das auch weiterhin zu tun, d.h. ihre eigene Kultur aufrechtzuerhalten und selber als ihre Verkörperung dazustehen.[9] Das Begehren ist deutlich, strittig sind nur die Mittel. Bei den derzeitigen Einwanderungszahlen und bei dem vom englischsprachigen Kanada ausgehenden Druck, behaupten die Einwohner von Quebec, würden sie sich ohne ausreichende Befugnisse, um den Gebrauch des Französischen als Umgangssprache durchzusetzen, bald außerstande sehen, es als Landessprache aufrechtzuerhalten. Sie behaupten außerdem, daß die Durchsetzung selber sich im liberalen Rahmen halten könne, d.h. daß diejenigen, die nicht Französisch sprechen, auch weiterhin, wie im *Quebec Act* vereinbart, mit Toleranz rechnen könnten, ohne daß das Vorhaben als Ganzes dadurch gefährdet wäre. Sollte das so sein, wäre Quebec ungeachtet aller praktischen Schwierigkeiten, die bisher eine verfassungsmäßige Regelung verhinderten und eine solche auch noch in Zukunft torpedieren mögen, im Prinzip ein unproblematischer Fall.

Der Fall der Ureinwohner ist schwieriger, denn es bleibt unklar, ob ihre Lebensweise sich im liberalen Rahmen aufrechterhalten läßt, und zwar selbst bei zugestandener Autonomie: Ihre Lebensweise ist nun einmal historisch nicht liberal. Nach innen hin intolerante und illiberale Gruppen (wie etwa die meisten Kirchen) lassen sich in einer liberalen Gesellschaft insofern tolerieren, als sie freiwillige Vereinigungen bilden. Aber kann man sie als autonome Gemeinschaften mit Zwangsmitteln über ihre

Mitglieder tolerieren? Diese Art Toleranz war in den Imperien vergangener Tage möglich, weil dort die Mitglieder nicht Staatsbürger waren oder jedenfalls nicht Staatsbürger im strengen Sinn dieses Begriffs. So kommt es, daß die politischen Führer der Ureinwohner sich ebenfalls auf Verträge aus imperialer Zeit berufen können. Doch die Ureinwohner heutzutage sind kanadische Staatsbürger, und die Befugnisse ihrer Gemeinschaften sind durch das übergeordnete kanadische Recht beschränkt, beispielsweise durch die *Charter of Rights and Freedoms* von 1981. Die verfassungsmäßigen Rechte erlegen jedem Kollektiv Schranken auf. Ihr Zweck ist es, die Individuen zu ermächtigen, und folglich bedeuten sie für die kollektive Lebensform, in diesem Fall also die des Stammes, eine Bedrohung.

Die Kultur der Ureinwohner wird als die Kultur einer besonderen Gemeinschaft oder einer Gruppe von Gemeinschaften toleriert, deren Überleben dahingestellt bleiben muß; institutionelle Garantien dafür kann es nicht geben. Die Gemeinschaften existieren auf gesetzlicher Grundlage, sie verfügen über anerkannte Institutionen, rechtmäßige Führer und ihnen zugängliche Ressourcen. All das verbessert ihre Überlebenschancen, gewährt aber keinen effektiven Schutz dagegen, daß das Individuum sich der Gemeinschaft entfremdet und ihr den Rücken zukehrt. Die Ureinwohner sind daher in einer ganz anderen Lage als Juden, Baptisten, Litauer oder jede andere religiöse Gruppe oder Einwanderergemeinschaft. Keine von ihnen existiert dermaßen privilegiert. Weil sie unterjocht und lange in diesem Zustand gehalten worden sind, gewährt man den Ureinwohnern zu Recht einen größeren rechtlichen und politischen Spielraum, um ihre angestammte Kultur zu organisieren und zu institutionalisieren. Aber auch dieser Spielraum hat Fenster und Türen, er läßt sich, solange seine Bewohner zugleich Staatsbürger sind, nicht gegen die größere Gesellschaft einfach abschließen. Jeder von ihnen kann sich entscheiden wegzugehen, außerhalb der Gemeinschaft zu leben oder intern auf eine Änderung der bestehenden Machtstrukturen und Praktiken hinzuarbeiten – genauso wie die Juden, die Baptisten und die Litauer. Die Ureinwohner werden zwar als Nationen toleriert, aber diese Menschen werden gleichzeitig als Individuen toleriert, die ihre nationale Daseinsform ändern oder für sich ablehnen mögen. Die beiden Formen der Toleranz bestehen zusammen, auch wenn die Einzelheiten dieses Zusammenbestehens noch auszuarbeiten sind und noch unsicher ist, ob es auch langfristig lebensfähig sein wird.

Die Europäische Gemeinschaft

Ich präsentiere die Europäische Gemeinschaft als ein Beispiel für einen Staatenverbund, der weder ein Imperium noch eine Konföderation darstellt, sondern etwas anderes, etwas, das es wahrscheinlich noch nie gegeben hat. Da sie noch nicht ihre endgültige Gestalt hat und über ihre Verfassungsordnung noch debattiert wird, muß meine Darstellung weitgehend spekulativ bleiben. Welche Form wird die Toleranz in der geplanten Union haben?

Die Europäische Gemeinschaft ist kein Imperium, auch wenn den Beamten in Brüssel manchmal imperiale Bestrebungen vorgeworfen werden, da ihre Mitgliedsstaaten ja nur einen Teil ihrer Hoheitsrechte abtreten. Wie groß dieser Teil letztlich sein wird, wird man noch nicht sagen können, sicher aber ist, daß die ihnen bleibenden Hoheitsrechte über einen Autonomiestatus weit hinausgehen. Auch wird man nicht von einer Konföderation sprechen können, zum einen wegen der Anzahl der beteiligten Staaten, und zum anderen aufgrund des weitgehenden Erhalts ihrer Souveränität. Warum ist die Gemeinschaft nicht einfach eine Allianz souveräner Staaten, die sich um eines bestimmten Zweckes willen zusammengeschlossen haben? Nun,

in der langen Geschichte politischer Allianzen finden wir nichts,
was in irgendeiner Hinsicht der wirtschaftlichen Integration gli-
che, die ihre Mitglieder anstreben. Auch die »Sozialcharta«, auf
die sich ihre Mitglieder geeinigt haben, ist ein Grund dafür,
warum die Gemeinschaft unvergleichlich ist. In ihrer jetzigen Gestalt sind die Vertragsbestimmungen der Charta recht
schwach, obwohl sie neben Bestimmungen über den Mindest-
lohn und die Anzahl der Wochenarbeitsstunden auch festlegen,
daß »Männer und Frauen hinsichtlich der Chancen auf dem
Arbeitsmarkt und ihrer Behandlung am Arbeitsplatz gleichbe-
rechtigt sind«.[10] Diese Bestimmungen unterscheiden sich von
ähnlich lautenden in der internationalen, von den Vereinten Nationen verkündeten Menschenrechtserklärung dadurch, daß sie
nicht rein appellativ sind, sie sollen auch justiziabel sein, selbst
wenn im Augenblick noch nicht absehbar ist, wie die rechtlichen
Instanzen aussehen werden.

Tatsächlich existiert bereits eine europäische Menschen-
rechtskonvention, die auch seit den 1960er Jahren rechtlich ein-
klagbar ist, so daß die Charta der Gemeinschaft nur einen An-
hang darstellt. Man stelle sich vor, die beiden verbinden sich und
werden zu einem ganzen Korpus negativer und positiver Rechte
ausgearbeitet – wie dieser aussehen könnte, darüber werde ich
mich hier jeder Spekulation enthalten. Es würde dann – vielleicht ist das ja auch jetzt schon der Fall – in den einzelnen Mitgliedsstaaten tolerierte Praktiken geben, etwa weil es sich um
charakteristische Merkmale ihrer politischen Kultur oder um althergebrachte soziale bzw. wirtschaftliche Einrichtungen handelt,
die in der neuen Gemeinschaft nicht mehr toleriert würden. Wie
wir sehen werden, fordert die Europäische Gemeinschaft ihren
Mitgliedsländern in einigen Hinsichten mehr Toleranz und verschiedene Weisen der Toleranz ab, als sie in der Vergangenheit
an den Tag legten. Doch die Charta würde, so wie ich es hier
präsentiert habe, eine Reihe von Beschränkungen einführen,
und weil diese einen Rechtscharakter hätten, wären sie wahr-

scheinlich allen anderen Regeln und Praktiken übergeordnet. Diese Überordnung hätte beträchtliche Folgen: Der Schwerpunkt der politischen Debatte würde sich von der Gesetzgebung auf die Jurisdiktion und auf Verwaltungsbehörden mit quasi-juristischen Befugnissen verschieben (wie es in den USA zum Teil schon geschehen ist); es würde zu einem Anstieg von Rechtsstreiten führen, und was besonders wichtig ist, es würde die Position der Individuen gegenüber den Nationalstaaten oder den ethnischen bzw. religiösen Gruppen, denen sie angehören, stärken. Während die alten Imperien verschiedene Rechtstraditionen tolerierten, scheint es, als würde die neue Gemeinschaft im Laufe der Zeit und immer vorausgesetzt, daß sie weiterhin zusammenwächst, ein einziges, für alle verbindliches Recht formulieren.

Zugleich aber werden die einzelnen Mitgliedsstaaten ein heterogeneres Bild als je zuvor bieten, und das in zweierlei Hinsicht. Zum einen erkennt die Gemeinschaft Regionen innerhalb der Staaten als legitime Objekte sozialer und wirtschaftlicher Förderung an, und es ist nicht unwahrscheinlich, daß sie eines Tages auch als politische Subjekte anerkannt werden. Eine solche Anerkennung wird höchstwahrscheinlich die Position territorial konzentrierter Minderheiten wie der Schotten und Basken stärken – deren Erwartungen schon jetzt sehr viel höher gespannt sind. Es mag jedoch sehr wohl sein, daß langfristig die Folgen des Regionalismus durch die zweite Quelle der Heterogenität – die Einwanderung – neutralisiert werden, da diese tendenziell die regionale Konzentration ethnischer Gruppen aufbricht. Die »Bürger« der Gemeinschaft überschreiten schon heute die Grenzen sehr viel ungehinderter als früher, und sie führen nicht nur bei sich, was ihnen an neuerdings »beweglichen« Rechten zugestanden worden sein mag, sondern auch ihre alten Kulturen und Religionen. Die Mehrheitsnationen werden daher schon bald Minderheiten in ihrer Mitte haben, an die sie nicht gewöhnt sind, während alteingesessene Minderheiten erfahren werden,

wie neue Gruppen ganz neue Vorstellungen darüber präsentie-
ren, welche Arrangements von der Toleranz gefordert werden,
Vorstellungen, die alte Selbstverständlichkeiten über den Haufen
werfen. Je mehr Mobilität die Menschen an den Tag legen, um
so mehr wird die Gemeinschaft als Ganze einer Einwanderungsgesellschaft gleichen – mit vielen geographisch verstreuten
Minderheiten, die keine starken Bande an ein bestimmtes Territorium haben.

Selbstverständlich werden die Mitgliedsländer weiterhin Nationalstaaten bleiben. Niemand wird ernsthaft erwarten, daß
etwa die Niederländer oder die Dänen so viele Einwanderer aufnehmen, daß sie in ihrem eigenen Land eine Minderheit, eine
Gruppe unter vielen werden. Nichtsdestoweniger werden die
Staaten genötigt sein, Neuankömmlinge zu tolerieren, die sie
nicht selbst ausgewählt haben (und viele werden nicht einmal
»Europäer« sein, da jeder eingebürgerte Einwanderer aus einem
Mitgliedsland sich in allen anderen Mitgliedsstaaten der Gemeinschaft niederlassen kann).

Sie werden auf ihre Weise Frieden mit den Neuankömmlin-
gen schließen müssen, mit ihren kulturellen und religiösen Bräuchen, ihren Familieneinrichtungen und politischen Werten, doch
immer gemäß der Sozialcharta, die, je nach ihrem letztlichen
Umfang und ihren rechtlichen Instanzen, zu einem gemeinsamen System der Toleranz führen mag oder auch nicht.

Ähnlich werden die Neuankömmlinge ihrerseits Frieden mit
der politischen Kultur ihres neuen Landes schließen. Sicherlich
werden die verschiedenen Gruppen auf unterschiedliche Arrangements dringen, und trotz des in allen Einwanderungsgesellschaften spürbaren Drucks zur Individualisierung werden einige
von ihnen bestrebt sein, einen körperschaftlichen Status zu erringen, was von ihren Aufnahmeländern sehr wahrscheinlich
nicht geduldet werden kann, es sei denn in einer stark veränder-
ten Form, die sich dem für den Nationalstaat grundlegenden
Muster der freiwilligen Vereinigung anpaßt. Auch werden sich

die Behörden der Gemeinschaft in Brüssel oder ihre Richter in Straßburg nicht bereit finden, zugunsten eines körperschaftlichen Status zu entscheiden; allenfalls werden sie auf die Wahrung individueller Rechte achten. Welches Muster sich dabei abzeichnet, wird man noch nicht sagen können: Individuen werden sich mit ethnischen oder religiösen Gruppen identifizieren und irgendeine Art staatlicher Anerkennung einklagen, die Zukunft der Gruppen selbst wird jedoch ungewiß sein, da sie sich in dem Maße wandeln werden, wie sich die Einwanderer ihrer neuen Umgebung anpassen, sich assimilieren, Mischehen schließen usw. Sehr wahrscheinlich wird die Europäische Gemeinschaft all ihren Mitgliedsstaaten die Vorteile und Probleme des Multikulturalismus bescheren.

IV. PRAKTISCHE FRAGEN

Macht

Gewöhnlich heißt es, Toleranz sei immer eine auf Ungleichheit
beruhende Beziehung, in welcher den jeweils tolerierten Gruppen oder Individuen die Rolle des Unterlegenen zugewiesen
werde. Jemanden zu tolerieren, sei eine Machtdemonstration, toleriert zu werden ein Akzeptieren der eigenen Schwäche.[1] Wir
sollten es daher auf etwas Besseres als diese Verbindung abse-
hen, auf etwas jenseits der Toleranz, etwas wie Achtung voreinander. Nun, da wir die fünf Systeme skizziert haben, sieht die
Geschichte jedoch etwas komplizierter aus: Die Achtung voreinander ist eine der Einstellungen, aus denen es zu Toleranz
kommt – die sympathischste Einstellung vielleicht, aber nicht
notwendig diejenige, von der es am wahrscheinlichsten ist, daß
sie sich entwickelt oder über die Zeit stabil bleibt. Manchmal funktioniert die Toleranz tatsächlich am besten, wenn die
Ungleichheit politischer Machtstrukturen klar und allgemein
anerkannt wird. Das ist am offensichtlichsten der Fall in den
zwischenstaatlichen Beziehungen, in denen zweideutige Machtverhältnisse einer der Hauptgründe für Kriege sind. Dieselbe
These gilt wahrscheinlich auch für manche innerstaatlichen
Systeme, etwa für die Konföderation, in der Unklarheit über die
jeweilige Macht der unterschiedlichen Gruppen zu politischer
Unruhe, ja zum Bürgerkrieg führen kann. In Einwanderungsgesellschaften wirkt sich die gleiche Unklarheit jedoch entge-
gengesetzt aus: Wenn die Menschen sich unsicher sind, welche
Stellung sie im Verhältnis zueinander haben, ist Toleranz offen-

kundig die rationalste Politik. Selbst hier jedoch erheben sich regelmäßig Machtfragen – wenn auch vielleicht nicht die Kardinalfrage: Wer herrscht über wen? Statt dessen stellen sich eine Reihe bescheidenerer Fragen: Wer ist in der Regel der Stärkere? Wer ist im öffentlichen Leben sichtbarer? Wer bekommt den größeren Anteil an den verfügbaren Mitteln? Um diese Fragen, einschließlich der Kardinalfrage, durchsichtig zu machen, bedarf es des Bezugs auf die in diesem Kapitel noch anzustellenden Erörterungen über Klasse, Geschlecht, Religion usw.; aber sie lassen sich auch für sich stellen.

In multinationalen Imperien liegt die Macht bei den Bürokraten in der Hauptstadt. Allen Volksgruppen wird beigebracht, sich als gleichermaßen machtlos zu betrachten, daher sind sie außerstande, ihre Nachbarn zu bedrücken und zu verfolgen. Jeder örtliche Übergriff führt dazu, daß an die Zentrale appelliert wird. So lebten beispielsweise Griechen und Türken friedlich Seite an Seite unter osmanischer Herrschaft. Bestand zwischen ihnen gegenseitige Achtung? Zwischen einigen von ihnen vermutlich schon, zwischen anderen nicht. Aber der Charakter ihrer Beziehung hing eben nicht von der gegenseitigen Achtung ab; er hing daran, daß sie beide gleichermaßen Untertanen waren. Sobald das Untertanenverhältnis keine von allen Volksgruppen gleichermaßen geteilte Erfahrung mehr bildet, ist Toleranz unter ihnen weniger wahrscheinlich. Wenn eine Gruppe ein privilegiertes Verhältnis zum Zentrum des Imperiums hat und imstande ist, sich mit dessen Vertretern vor Ort zu verbinden, wird sie immer wieder die anderen zu dominieren versuchen – wie zur Zeit der römischen Herrschaft die Griechen in Alexandria. Im Fall des Imperiums bringt die Macht Toleranz am ehesten dann zustande, wenn sie entfernt, neutral und respekteinflößend ist.

In dieser Form erweist sich die imperiale Macht offensichtlich am meisten den lokalen Minderheiten zuträglich, die dafür ihrerseits für gewöhnlich die loyalsten Anhänger eines solchen Imperiums stellen. Die Führer nationaler Befreiungsbewegungen äußern in der Regel ein Ressentiment diesen Minderheiten gegenüber, die jetzt als Kollaborateure der Imperialisten dastehen, und beuten das vorhandene Ressentiment nach Kräften aus. Wenn die ehemalige Provinz eines Imperiums zum selbständigen Nationalstaat aufsteigt, ist in der Geschichte der Toleranz ein kritischer Augenblick gekommen. Minderheiten werden häufig angepöbelt, angegriffen und des Landes verwiesen, so geschah es den indischen Händlern und Handwerkern in Uganda, die schon bald nach dem Rückzug der Engländer ins Exil getrieben wurden. Die meisten folgten den Engländern nach Großbritannien und brachten damit sozusagen das Imperium ins Mutterland und schufen eine neue Vielfalt in seinem Zentrum. Manchmal gelingt es solchen Gruppen, zu tolerierten Minderheiten zu werden, doch der Weg dahin ist immer steinig und an seinem Ende, auch wenn es glücklich erreicht wurde, mögen die Minderheiten im großen und ganzen an Sicherheit und Status verloren haben. Das ist sehr oft der Preis für die nationale Befreiung, doch kann er, sollte der neue Nationalstaat demokratisch und liberal sein, vermieden oder zumindest verringert werden.

Es mag sein, daß die Konföderation so etwas wie gegenseitige Achtung erfordert, zumindest unter den Führern der verschiedenen Gruppen, denn diese Gruppen müssen ja nicht nur zusammenleben, sondern auch die Bedingungen ihrer Koexistenz untereinander aushandeln. Die Verhandlungsführer haben, wie die Diplomaten der internationalen Gesellschaft, die Interessen der jeweils anderen Partei zu berücksichtigen. Wenn sie es weder können noch wollen, wie es in Zypern nach dem Abzug der Engländer geschah, wird eine Konföderation scheitern. Die einzelnen Mitglieder der verschiedenen Gemeinschaften müssen sich demgegenüber nicht einander anpassen, es sei denn, sie begegnen sich auf dem Markt und schließen miteinander Geschäfte ab. Tatsächlich spricht einiges dafür, daß die Konföderation dann am aussichtsreichsten ist, wenn die Gemeinschaften nicht allzu viel miteinander zu schaffen haben, wenn jede von ihnen autark ist und nach innen gekehrt. Fragen der Macht, die Bevölkerungszahl und die ökonomische Potenz kommen dann nur auf der föderalistischen Ebene zum Tragen, auf der die Volksvertreter über den Haushalt und die Zusammensetzung der Beamtenschaft beraten.

In Nationalstaaten liegt die Macht bei der Mehrheitsnation, die, wie wir schon sahen, den Staat für ihre eigenen Zwecke instrumentalisiert. Das muß kein notwendiges Hindernis für Gegenseitigkeit unter den Individuen sein, in liberal demokratischen Staaten dürfen wir durchaus erwarten, daß die Gegenseitigkeit blüht. Dennoch sind Minderheiten allein aufgrund ihrer Zahl ungleich und werden in den meisten Fragen der öffentlichen Kultur demokratisch überstimmt werden. Die Mehrheit toleriert die kulturelle Differenz in derselben Weise wie die Regierung eine politische Opposition toleriert, indem sie ein System bürgerlicher Rechte und Freiheiten schafft und eine unabhängige Justiz, die über deren Einhaltung wacht. Minderheiten organisieren sich daher, halten Versammlungen ab, treiben Geld auf, erbringen Dienstleistungen für ihre Mitglieder und veröffentlichen Zeitschriften und Bücher, sie schaffen Institutionen, sofern sie es sich leisten können und für notwendig erachten. Je lebendiger sie sind, und je mehr sie sich von der Kultur der Mehrheit unterscheiden, um so unwahrscheinlicher wird es sein, daß sie mit Bitterkeit beobachten, wenn ihre Überzeugungen und Praktiken nicht öffentlich repräsentiert sind. Sind Minderheitengruppen jedoch schwach, dann werden die einzelnen Mitglieder sich zunehmend den Überzeugungen und Praktiken der Mehrheit anschließen, zumindest in der Öffentlichkeit, häufig aber auch in ihrem Privatleben. Was Spannung und beständige Querelen über den Symbolismus des öffentlichen Lebens hervorruft, ist die mittlere Position. Das von mir im III. Kapitel beschriebene zeitgenössische Beispiel Frankreich liefert uns reichlich Belege für die letzte dieser Möglichkeiten.

Ähnlich liegt der Fall zu einem frühen Zeitpunkt in der Geschichte von Einwanderungsgesellschaften, wenn die ersten Einwanderer noch nach einem Nationalstaat streben. Nachfolgende Einwanderungswellen schaffen einen Staat, der im Prinzip neutral ist, sozusagen die demokratische Version der imperialen Bürokratie. Dieser Staat übernimmt und bewahrt – für wie lange wird niemand sagen können – einige der brauchbaren Arrangements und einige Symbole seines unmittelbaren Vorläufers. Daher muß sich jede neue Einwanderungswelle, auch wenn sie Sprache und Kultur der ersten Gruppe verändert, dieser anpassen. Der Staat beansprucht jedoch, über diesem Streit zu stehen und kein Interesse daran zu haben, die Veränderungen in der einen oder anderen Richtung zu beeinflussen. Er bezieht sich ausschließlich auf Individuen und schafft so eine offene Gesellschaft oder tendiert im Laufe der Zeit dazu, sie zu schaffen, in der, wie ich behauptet habe, jeder Toleranz üben muß. Der oft verkündete Schritt »über Toleranz hinaus« ist nun angeblich in den Bereich des Möglichen gekommen. Es ist jedoch weiterhin offen, ob nicht auch nach diesem Schritt noch bedeutende Gruppenunterschiede bleiben, die respektiert werden müssen.

Klasse

Intoleranz ist für gewöhnlich dann besonders virulent, wenn kulturelle, ethnische oder rassische Unterschiede mit Klassenunterschieden zusammenfallen, wenn die Mitglieder von Minderheiten auch wirtschaftlich schlechter dastehen. In multinationalen Imperien wird eine solche Benachteiligung mit geringerer Wahrscheinlichkeit auftreten, da jedes einzelne Volk das komplette Spektrum von Klassenunterschieden aufweist. Der Multinationalismus erzeugt gemeinhin gleichartige Hierarchien, auch wenn die verschiedenen Nationen nicht zu gleichen Teilen am Reichtum des Imperiums partizipieren. Für die internationale Gesellschaft gilt dasselbe, auch ihre Mitgliedsländer weisen nach innen ähnlich geartete Hierarchien auf, weshalb die Ungleichheit der Nationen keine Toleranzprobleme aufwirft – welche Probleme sie auch sonst schaffen mag. Begegnungen zwischen den Führungseliten der einzelnen Staaten werden allein durch Machtunterschiede und nicht durch kulturelle Differenzen bestimmt. Die Führungseliten eines dominanten Staates lernen sehr schnell, zuvor als »minderwertig« abgestempelte Kulturen zu achten, wenn deren politische Führer im Rat der Nationen plötzlich mit neuem Reichtum oder auch neuen Waffen auftreten.

Idealtypisch nimmt die Konföderation dieselbe Form an, die verschiedenen Gemeinschaften mögen nach innen ungleich sein, im Land aber sind sie nahezu gleichgewichtige Partner. Oft kommt es allerdings vor, daß eine kulturell sich unterscheidende Gemeinschaft auch wirtschaftlich unterlegen ist. Die libanesischen Schiiten sind dafür ein gutes Beispiel, sie demonstrieren nicht nur diese zweifache Differenzierung, die wirtschaftliche und kulturelle, sondern auch die für gewöhnlich damit einhergehende politische Entrechtung. Der Prozeß funktioniert auch in der anderen Richtung: Wenn Regierungsbeamte die Mitglieder einer solchen Gruppe diskriminieren, legitimiert und steigert dies die Feindseligkeit, auf die ihre Mitglieder in allen anderen Bereichen des sozialen Lebens stoßen. Die schlechtesten Arbeitsplätze, die schlechtesten Wohnungen, die schlechtesten Schulen: so sieht ihr gemeinsames Los aus. Die Gruppe bildet eine ethnisch oder religiös gekennzeichnete Unterklasse.

In einem minimalen Sinn wird sie toleriert, so sind ihr etwa eigene Gotteshäuser erlaubt, aber sie ist eindeutig Almosenempfänger der Toleranz. Die Gleichheit in der Konföderation und die gegenseitige Anerkennung, die ihr entspringen soll, werden beide durch die Klassenungleichheit untergraben.

Nationale Minderheiten in Nationalstaaten befinden sich

manchmal in einer ähnlichen Position und manchmal auch aus denselben Gründen. Gleichgültig, ob am Anfang der Kausalkette ein kulturelles Stigma steht oder ökonomische bzw. politische Unterlegenheit, sie umfaßt immer alle drei Bereiche. Es kann aber auch geschehen, daß verhältnismäßig machtlose nationale Minderheiten, wie beispielsweise die Chinesen in Java, wirtschaftlich sehr gut dastehen – wenn auch nicht in dem Maße, wie ihnen von Demagogen nachgesagt wird, welche die Mehrheit gegen sie aufhetzen. Imperien lassen bei ihrem Rückzug oft wirtschaftlich erfolgreiche Minderheiten zurück, die dann durch die Intoleranz der neuen Herrscher des Nationalstaates gefährdet sind. Diese Intoleranz kann, wie man am Beispiel der indischen Siedler in Uganda erlebt hat, zu Exzessen führen. Sichtbarer Wohlstand ist dazu angetan, eine nationale Minderheit, vor allem wenn sie gerade erst eine neue nationale Minderheit geworden ist, zu gefährden. Sichtbare Armut bringt demgegenüber eine geringere Gefährdung mit sich, dafür aber größeres Elend, in dessen Gefolge jede Anerkennung verweigert wird, und eine automatische, unreflektierte Diskriminierung einsetzt. Nehmen wir die »unsichtbaren« Männer und Frauen der Minderheitengruppen (oder der unteren Kasten), die in der Gesellschaft die Straßen kehren, den Müll beseitigen, Teller waschen, Pflegedienste im Krankenhaus versehen usw. – ihre Anwesenheit wird als ganz selbstverständlich hingenommen, doch die Mitglieder der Mehrheit schenken ihnen selten Beachtung.

In jeder Einwanderungsgesellschaft gibt es Gruppen dieser Art, nämlich die jüngsten Einwanderer aus armen Ländern, die ihre Armut mitbringen. Anhaltende Armut und kulturelle Stigmata sind jedoch seltener das Los von Einwanderern – schließlich sind sie die paradigmatischen Mitglieder einer Einwanderungsgesellschaft – als das Schicksal unterworfener Ureinwohner und/oder gewaltsam ins Land geschleppter Gruppen wie der schwarzen Sklaven und ihrer Nachkommen in Amerika. Hier geht eine der schlimmsten Formen politischer Unterwerfung einher mit einer der härtesten Form wirtschaftlicher Unterwerfung, wobei rassistische Intoleranz in beiden Fällen noch hinzukommt. Die Verbindung von politischer Schwäche, Armut und Rassenstigma wirft enorme Probleme für das System der Toleranz auf, das eine Einwanderungsgesellschaft auszeichnen sollte. Stigmatisierte Gruppen verfügen im allgemeinen nicht über die Mittel, ein Leben in der Gemeinschaft lebendig zu erhalten, daher können sie nicht wie eine körperschaftlich organisierte Religionsgemeinschaft in den Imperien funktionieren – obwohl unterworfenen Ureinwohnern manchmal die Rechtsform einer solchen Gemeinschaft zugestanden wird –, und auch nicht wie eine territorial konzentrierte nationale Minderheit. Auch sind ihre einzelnen Mitglieder außerstande, ihren eigenen Weg zu gehen und, den Fußstapfen der Einwanderer folgend, sich nach oben zu kämpfen. Sie bilden eine anomale Kaste auf der untersten Stufe des Klassensystems.

Offensichtlich ist Toleranz dann mit Ungleichheit vereinbar, wenn sich das Klassensystem auf mehr oder weniger ähnliche Weise in all den verschiedenen Gruppen reproduziert. Zu einer Unvereinbarkeit kommt es erst dann, wenn die Gruppen auch Klassen sind. Eine ethnische oder religiöse Gruppe, die das Lumpenproletariat oder die Unterschicht einer Gesellschaft bilden, kann mit ziemlicher Sicherheit damit rechnen, daß sie zur Zielscheibe extremer Intoleranz wird. Sie müssen keine Massaker oder Vertreibung befürchten, dafür haben die Mitglieder einer solchen Gruppe eine viel zu nützliche ökonomische Funktion inne, die kein anderer übernehmen möchte, doch sehen sie sich täglicher Diskriminierung, Zurückweisung und Erniedrigung ausgesetzt. Ohne Zweifel haben sich die anderen mit ihrer Anwesenheit abgefunden, allein diese Art des Sichabfindens kann nicht als Toleranz gelten, da sie den Wunsch birgt, die Gruppe unsichtbar werden zu lassen.[2] Im Prinzip könnte man den Leuten Achtung vor der Unterklasse und ihrer Rolle vermitteln wie auch mehr Toleranz für alle Arten von Menschen, die jede mögliche Tätigkeit, auch harte und schmutzige Arbeit machen. In der Praxis wird sich, solange die Verbindung von Klasse und Gruppe nicht aufgebrochen wird, vermutlich weder Achtung noch größere Toleranz einstellen.

Förderprogramme und umgekehrte Diskriminierung bei der Zulassung zu den Universitäten, der Auswahl der Beamten und der Zuweisung staatlicher Gelder verfolgen den Zweck, diese Verbindung von Klasse und Gruppe zu kappen. Soweit es um die Individuen geht, sind dergleichen Bemühungen nicht egalitär, die Individuen werden in der Hierarchie lediglich nach oben oder unten befördert. Förderprogramme sind nur im Hinblick auf die Gruppe egalitär, da sie darauf abzielen, ähnliche Hierarchien zu schaffen, indem sie dafür sorgen, daß auch in den am meisten benachteiligten Gruppen eine Oberschicht, eine Akademikerschicht oder eine Mittelschicht entsteht. Wenn das soziale Profil aller Gruppen mehr oder weniger gleich ist, dürften kulturelle Unterschiede mit größerer Wahrscheinlichkeit akzeptiert werden. Diese These verliert ihre Gültigkeit in Fällen schwerer nationaler Konflikte, doch wo ein Pluralismus bereits existiert wie in Konföderationen und Einwanderungsgesellschaften scheint sie plausibel zu sein. Zugleich deutet die in den Vereinigten Staaten gemachte Erfahrung darauf hin, daß eine Bevorzugung der benachteiligten Gruppen, welche Folgen sich auch immer langfristig einstellen mögen, kurzfristig die Intoleranz verstärkt. Für einzelne Individuen bringt sie handgreifliche Ungerechtigkeiten mit sich, gewöhnlich für die Gruppen, die in der Reihe der benachteiligten Gruppen die nächsten sind – und sie schürt politisch gefährliche Ressentiments. Es mag daher durchaus sein, daß umfassendere Toleranz in pluralistischen Gesellschaften mehr Gleichheit verlangt. Der Schlüssel zum Erfolg in diesen Systemen der Toleranz mag nicht – oder vielleicht nicht nur – darin liegen, die Hierarchien in jeder Gruppe zu wiederholen, besser wäre vielleicht, Hierarchien in der ganzen Gesellschaft abzubauen.[3]

Geschlecht

Fragen der Familienstruktur, der Geschlechterrollen und des sexuellen Verhaltens gehören zu denen, an welchen sich die Geister in den heutigen Gesellschaften am deutlichsten scheiden. Es wäre falsch zu meinen, diese Streitpunkte seien völlig neu: Seit Jahrtausenden ist über Polygamie, Konkubinat, Prostitution, Ausgrenzung der Frauen, Beschneidung und Homosexualität gestritten worden. Kulturen und Religion haben sich von anderen dadurch abgesetzt, daß sie in diesen Dinge je eigene Bräuche pflegten und die Bräuche der jeweils anderen kritisierten. Doch eine praktisch allgemein von Männern dominierte Kultur schränkte den Bereich dessen ein, was überhaupt erörtert werden konnte und von wem. Heute entziehen weitgehend akzeptierte Vorstellungen von Gleichheit und Menschenrechten diesen Einschränkungen den Boden. Inzwischen ist alles ein Gegenstand der Debatte geworden, und jede Kultur und Religion muß sich eine neue kritische Untersuchung gefallen lassen. Manchmal sorgt das für Toleranz, manchmal jedoch offenbar für ihr Gegenteil. Die Frage, wo die theoretische und praktische Grenzlinie zwischen dem Tolerierbaren und dem nicht zu Tolerierenden zu ziehen sei, wird mit größter Wahrscheinlichkeit anläßlich dessen ausgefochten werden, was ich summarisch die Geschlechterfrage nenne.

Die großen multinationalen Imperien überließen diese Frage für gewöhnlich ihren einzelnen Gemeinschaften. Die Geschlechterfrage galt im wesentlichen als interne Angelegenheit, sie erforderte keine, jedenfalls war man dieser Ansicht, irgendwie geartete Einmischung seitens des Kollektivs. Eigentümliche Handelsbräuche wurden auf den gemeinsamen Märkten nicht geduldet, doch das Familienrecht (»Privat«recht) blieb ganz und gar den traditionellen religiösen Autoritäten anheimgestellt oder den (männlichen) Ältesten. Auch die Aufsicht über Sitten und Gebräuche lag in ihren Händen, und es war höchst unwahrscheinlich, daß Beamte des Imperiums hier eingriffen.

Nehmen wir beispielsweise das außerordentliche Zögern, mit dem die Engländer schließlich 1829 die Selbstverbrennung der Hinduwitwen auf dem Scheiterhaufen ihrer verstorbenen Ehemänner in dem von ihnen regierten Teil Indiens verboten. Viele Jahre lang hatte die Ostindien-Kompanie und dann die britische Regierung den Brauch ignoriert, weil es, wie ein Historiker des 20. Jahrhunderts meinte, »ihre erklärte Absicht war, den Glauben der Hindus und der Moslems zu respektieren und ihnen freie Religionsausübung zu gewähren«. Selbst moslemische Regenten, die, demselben Historiker zufolge, keinerlei Achtung vor dem Glauben der Hindus hatten, unternahmen nur sporadische und halbherzige Anstrengungen, um den Brauch zu unterdrücken.[4] Die imperiale Toleranz erstreckte sich demnach bis auf die Witwenverbrennung, was, bedenkt man, welche Beschreibungen die Engländer von diesem Brauch lieferten, sehr weit war.

Es ist zumindest denkbar, daß die Konföderation eine ähnliche Toleranz hervorbringt, wenn zwischen den zusammengeschlossenen Gemeinschaften ein weitgehendes Machtgleichgewicht besteht und die Führer einer dieser Gemeinschaften großen Wert auf diesen oder jenen Brauch legen. Ein Nationalstaat, in dem die Machtverhältnisse per definitionem unausgewogen sind, würde demgegenüber bei einer nationalen oder religiösen Minderheit eine Sitte wie die Witwenverbrennung nicht tolerieren. Auch ist es unwahrscheinlich, daß die Toleranz in einer Einwanderungsgesellschaft so weit geht, da in ihr ja alle Gruppen für sich Minderheiten sind. Der Fall der Mormonen in den Vereinigten Staaten macht deutlich, daß abweichende Bräuche wie die Polygamie nicht toleriert werden, auch wenn es sich um eine rein interne Angelegenheit handelt, die »allein« das häusliche Leben betrifft. In diesen beiden letzten Fällen verleiht der Staat allen seinen Bürgern denselben Status – auch den Witwen der Hindus und den Ehefrauen der Mormonen – und wendet auf alle dasselbe Recht an. Es gibt keine eigene Gerichtsbarkeit der einzelnen Gemeinschaften, für das ganze Land gilt eine Rechtsprechung, in deren Rahmen die Staatsbeamten verpflichtet sind, einer Witwenverbrennung Einhalt zu gebieten, so wie sie auch genötigt sind, einen Selbstmordversuch zu vereiteln, sofern sie es können. Ist die Witwenverbrennung gar nicht einmal freiwillig, sondern geschieht unter »Mithilfe« anderer, wie es ja häufig der Fall war, bleibt den Beamten gar nichts anderes übrig, als in der Nötigung einen Mord zu sehen, für den es keine religiösen oder kulturellen Entschuldigungen gibt.

Das folgt zumindest aus dem von mir dargelegten Modell des Nationalstaates bzw. der Einwanderungsgesellschaft. Doch die Realität hinkt manchmal hinterher, wie ein anderes Ritual um den weiblichen Körper verdeutlicht: die genitale Verstümmelung, oder um es neutraler auszudrücken, die Klitorisbeschneidung und Infibulation. Beide Eingriffe werden normalerweise an vielen Mädchen oder jungen Frauen in afrikanischen Ländern vorgenommen, und weil niemand aus humanitären Gründen ein aktives Einschreiten empfohlen hat, können wir sagen, daß dieser Brauch in der internationalen Gesellschaft toleriert wird – genauer gesagt, er wird auf der staatlichen Ebene toleriert, während bei einer Reihe von Organisationen, die im Rahmen der internationalen Zivilgesellschaft·tätig sind, ein aktiver Widerstand dagegen zu beobachten ist. Auch unter afrikanischen Einwanderern in Europa und Nordamerika werden die Eingriffe durchgeführt. In Schweden, der Schweiz und Großbritannien sind sie gesetzlich verboten, obwohl keine ernsthaften Anstrengungen unternommen werden, dem Gesetz Geltung zu verschaffen. In Frankreich, dem klassischen Nationalstaat, der, wie wir sahen, mittlerweile auch eine Einwanderungsgesellschaft ist, waren Mitte der 1980er Jahre nach Verlautbarung etwas 23 000 Mädchen »gefährdet«. Wie viele von ihnen tatsächlich den Eingriff über sich ergehen lassen mußten, liegt im dunklen. Aufgrund eines Gesetzes, das ein generelles Verstümmelungsverbot verhängte, gab es eine Reihe von der Öffentlichkeit aufmerksam verfolgter Prozesse gegen Frauen, die den Eingriff vornahmen, sowie die Mütter der betroffenen Mädchen. Die Frauen wurden verurteilt und die Strafe dann zur Bewährung ausgesetzt. Bis Mitte der 1990er Jahre schien der Brauch öffentlich verurteilt, aber in der Praxis toleriert zu werden.[5]

Die Begründung für diese tolerante Haltung beruft sich auf die »Achtung vor der kulturellen Vielfalt«. Diese Vielfalt folgt nach Ansicht des normalen nationalstaatlichen Modells aus den Entscheidungen des die kulturelle Gemeinschaft idealtypisch repräsentierenden Individuums. Daher argumentierte eine 1989 eingereichte Petition gegen die Kriminalisierung dessen, was die Franzosen »excision« nennen: »Die strafrechtliche Verfolgung eines Brauches zu fordern, der die republikanische Ordnung in keiner Weise bedroht, und den nicht der Privatsphäre zuzuordnen grundlos wäre, wie beispielsweise die Beschneidung, würde eine Intoleranz beweisen, die nur mehr menschliche Dramen auslösen würde, als sie zu vermeiden vorgibt, und nicht zuletzt würde diese Forderung eine einzigartig enge Vorstellung von Demokratie darstellen.«[6] Wie schon bei der Witwenverbrennung ist es jedoch wichtig, sich klarzumachen, worum es genau geht: Klitorisbeschneidung und Infibulation »sind nicht mit der Entfernung der Vorhaut zu vergleichen, sondern mit der Entfernung des Penis«[7], und man wird sich schwer vorstellen können, daß man die Beschneidung in dieser Form für eine reine Privatsache halten würde. Wie dem auch sei, die kleinen Mädchen unterziehen sich nicht freiwillig dieser Prozedur. Auch würde man meinen, der französische Staat schulde es den Mädchen, sie unter den Schutz seiner Gesetze zu stellen: Einige von ihnen sind Bürgerinnen des Landes, und die meisten von ihnen werden Mütter künftiger Staatsbürger sein. Jedenfalls leben sie in Frankreich und werden zukünftig am sozialen und wirtschaftlichen Leben des Landes teilnehmen. Es wäre zwar denkbar, daß sie ihre eingewanderte Gemeinschaft nie verlassen, aber es könnte auch anders kommen: Das ist schließlich ein Vorteil, den ein Leben in Frankreich bietet. Im Hinblick auf solche Individuen sollte sich die Toleranz sicherlich nicht auf die rituelle Verstümmelung erstrecken, ebensowenig wie auf rituellen Selbstmord. Eine so extreme kulturelle Abweichung ist nur dann vor Einmischung geschützt, wenn die Grenzen sehr viel entschiedener gezogen sind, als dies in Nationalstaaten oder Einwanderungsgesellschaften der Fall ist oder je sein wird.[8]

In anderen Fällen, bei denen die moralischen Werte der größeren Gemeinschaft, der nationalen Mehrheit oder der Koalition von Minderheiten nicht so unmittelbar herausgefordert werden, mag man die Rechtfertigung, es handle sich um religiöse oder kulturelle Unterschiede (um eine »private Entscheidung«) gelten lassen, die Vielfalt respektieren und auch einen anderen als den üblichen Umgang mit den Geschlechtern tolerieren. Daher sind die amerikanischen Behörden hinsichtlich isoliert lebender Minderheiten oder Sekten wie den Amish und den Hassidim mitunter bereit, in einen Kompromiß einzuwilligen oder die Gerichte vermitteln zu lassen, beispielsweise wenn es um die Geschlechtertrennung in Schulbussen und sogar in Schulklassen geht.

Doch wird man vergleichbare Zugeständnisse nicht so leicht größeren, mächtigeren (und bedrohlicheren) Gruppen machen, selbst dort nicht, wo es um verhältnismäßig geringfügige Fragen geht, und selbstverständlich können die ausgehandelten Kompromisse jederzeit durch irgendeine Sekte oder eines ihrer Mitglieder mit der Begründung angefochten werden, sie verletzten ihre Bürgerrechte. Angenommen, es käme, was sicherlich wünschenswert wäre, zu einer Übereinkunft, die es islamischen Mädchen erlaubte, in Frankreichs öffentlichen Schulen ein Kopftuch zu tragen.[9] Dies wäre ein Kompromiß mit der nationalstaatlichen Norm, der das Recht von Einwanderergemeinschaften auf eine (bescheidene) multikulturelle Öffentlichkeit anerkennen würde. Die laizistische Tradition des französischen Schulwesens würde weiterhin den Feiertagskalender der Schulen und den Lehrplan bestimmen. Nehmen wir weiterhin an, eine Reihe muslimischer Mädchen würde erklären, ihre Familien zwängen sie zum Tragen eines Kopftuches und der geschlossene Kompromiß erleichtere es den Eltern, Druck auf die Mädchen auszuüben? In diesem Fall müßte neu über den Kompromiß verhandelt werden. Im Nationalstaat und in der Einwanderungsgesellschaft, doch nicht im multinationalen Imperium, würde dem Recht, vor einem Zwang dieser Art (und erst recht vor dem sehr viel schwerer wiegenden Zwang zur Klitorisbeschneidung) geschützt zu sein, ein größeres Gewicht zukommen als den »Familienwerten« der Minderheitenreligion oder -kultur.

Das sind äußerst heikle und sensible Fragen. Die Ausgrenzung der Frauen, wie sie in der Beschränkung auf den häuslichen Bereich, der Verhüllung des Körpers und der tatsächlichen Verstümmelung zum Ausdruck kommt, bezweckt nicht nur die Durchsetzung patriarchalischer Eigentumsrechte. Es geht dabei auch um den Erhalt einer Kultur oder Religion, denn die Frauen sind deren zuverlässigste Transmissionsriemen. Historisch gesehen, haben die Männer immer ein vielfältigeres öffentliches Leben kennengelernt, sie waren mit dem Leben in der Armee, an Höfen, in Versammlungen und auf den Märkten vertraut, und deshalb waren sie stets mögliche Initiatoren von Neuerungen und Assimilation. Ebenso wie eine nationale Kultur in ländlichen Gegenden eher als in den Städten lebendig bleibt, so wird sie auch eher in der privaten oder häuslichen als in der öffentlichen Sphäre tradiert, was nichts anderes heißt, als daß sie normalerweise besser bei den Frauen als bei den Männern aufgehoben ist. Die Tradition wird in den Wiegenliedern der Mütter, in den von ihnen geflüsterten Gebeten, der von ihnen verfertigten Kleidung, in ihrer Küche und den von ihnen gelehrten Riten und Bräuchen weitergegeben. Wenn die Frauen erst einmal ins öffentliche Leben eintreten, wer wird dann diese Aufgabe erfüllen? Gerade weil die Schulen der erste Schritt der Frauen in ein öffentliches Leben sind, wird so heftig über eine Frage wie das Tragen des traditionellen Kopfputzes in öffentlichen Schulen gestritten.

So sieht die Form des Argumentes aus, wenn eine traditionale Kultur oder Religion mit einem Nationalstaat oder einer Einwanderungsgesellschaft in Berührung kommt. Der Traditionalist wird sagen: »Ihr seht es als Eure Verpflichtung an, unsere Gemeinschaft und ihre Bräuche zu tolerieren. Und da Ihr Euch dazu verpflichtet habt, könntet Ihr uns nicht die Aufsicht über unsere Kinder – vor allem unsere Mädchen – verwehren, denn dann würdet Ihr uns nicht tolerieren.« Toleranz beinhaltet das Recht, sich als Kollektiv zu reproduzieren. Doch dieses Recht, sofern es besteht, gerät in Konflikt mit den Rechten der einzelnen Bürger, die einst auf die Männer beschränkt und deshalb nicht so bedrohlich waren, sich aber nun auch auf die Frauen erstrecken. Es scheint unvermeidlich zu sein, daß die individuellen Rechte sich langfristig behaupten werden, denn die Gleichheit der Bürger ist sowohl für den Nationalstaat als auch für die Einwanderungsgesellschaft eine grundlegende Norm. Die Bewahrung und Weitergabe einer Kultur wird infolgedessen weniger gesichert sein oder zumindest durch Prozesse stattfinden, deren Ergebnisse weniger gleichförmig sind. Traditionalisten müssen dann ihrerseits eine eigene Form der Toleranz lernen, die Toleranz für verschiedene Spielarten ihrer eigenen Kultur oder Religion. Doch bevor diese Lektion gelernt sein wird, müssen wir mit einer langen Reihe »fundamentalistischer« Reaktionen rechnen, die sich vor allem auf die Geschlechterfrage konzentrieren.

Die heftigen Auseinandersetzungen über die Abtreibung in Amerika heute läßt ahnen, welchen Charakter diese reaktionäre Politik haben wird. Vom Standpunkt der Fundamentalisten lautet die moralische Frage, ob die Gesellschaft die Tötung des Kindes im Mutterleib tolerieren wird. Doch die politische Debatte dreht sich für beide Seiten um einen anderen Punkt: Wer hat die Kontrolle über jene Orte, an denen die Reproduktion stattfindet? Der Mutterleib ist nur einer davon; Heim und Schule sind die nächsten und, wie wir sahen, wird schon über sie diskutiert. Welche kulturellen Differenzen werden noch zu tolerieren übrigbleiben, wenn diese Dispute gelöst sein werden, und zwar zwangsläufig zugunsten weiblicher Autonomie und einer Gleichstellung der Geschlechter? Glaubt man den Traditionalisten, so wird nichts mehr bleiben. Aber es ist äußerst unwahrscheinlich, daß sie Recht behalten werden. Die Gleichheit der Geschlechter wird zu verschiedenen Zeiten und an verschiedenen Orten eine je andere Form annehmen, ja sogar zur selben Zeit und am selben Ort unter verschiedenen Gruppen von Menschen, und von einigen dieser Formen wird sich zeigen, daß sie mit kultureller Differenz vereinbar sind. Es mag sogar sein, daß Männer eine größere Rolle für den Erhalt und die Weitergabe jener Kultur spielen werden, die für sie erklärtermaßen von Wert ist.

Religion

Die meisten Menschen in den Vereinigten Staaten, und allgemein im Westen, halten religiöse Toleranz nicht für eine große Sache. Wenn sie über die Religionskämpfe nahegelegener Länder (Irland und Bosnien) oder weiter weg im Nahen Osten oder in Südostasien lesen, schütteln sie voller Unverständnis den Kopf. Die Religion muß dort irgendwie durch den Nationalismus vergiftet worden sein, oder eine extreme, fanatische und daher (so wie wir die Sache sehen) ungewöhnliche Form haben. Denn haben wir nicht bewiesen, daß Religionsfreiheit, Vereinsfreiheit und politische Neutralität ein gutes Gespann bilden, um religiöse Konflikte zu entschärfen? Fördern diese Lehren des amerikanischen Pluralismus nicht die gegenseitige Duldung und sorgen sie nicht für ein glückliches Zusammenleben? Wir gestatten den Individuen zu glauben, was sie glauben wollen, und sich ungehindert mit ihren Glaubensbrüdern zusammenzuschließen, die Kirche ihrer Wahl zu besuchen – oder auch nicht zu glauben, was sie nicht glauben wollen, der Kirche ihrer Wahl fernzubleiben usw. Was mehr könnte man sich wünschen? Ist dies nicht das Musterbild eines Systems der Toleranz?

Selbstverständlich gibt es noch andere tatsächlich erprobte oder denkbare Systeme: das Milletsystem war vor allem für religiöse Gemeinschaften entworfen worden, und die Konföderation bringt normalerweise verschiedene religiöse oder ethnische Gruppen zusammen. Doch die Tolerierung gläubiger Individuen, wie sie zuerst im England des 17. Jahrhunderts ausgearbeitet worden ist und dann über den Atlantik gelangte, ist das heute vorherrschende Vorbild. Daher ist es unumgänglich, einige seiner Komplikationen genauer zu betrachten. Ich möchte mich vor allem mit zwei Punkten auseinandersetzen, die sowohl von historischer als auch von aktueller Bedeutung sind. Erstens: Die Beharrlichkeit, mit der sich religiöse Gruppen, die für sich als Gruppen und nicht für ihre einzelnen Mitglieder Toleranz verlangen, an den Rändern moderner Nationalstaaten und Einwanderungsgesellschaften halten. Zweitens: Die Beharrlichkeit, mit der nach »religiöser« Toleranz oder Intoleranz hinsichtlich einer großen Vielfalt anderer sozialer Praktiken gerufen wird, die über die Bildung einer Gemeinde und die Religionsausübung hinausgehen.

Ein Grund, warum Toleranz in Ländern wie den Vereinigten Staaten keine große Sache ist, liegt darin, daß die von den Individuen gebildeten Kirchen und Gemeinden, ungeachtet ihrer theologischen Differenzen, einander zumeist sehr ähnlich sind. Die im 17. Jahrhundert aufblühende Toleranz war in erster Linie ein wechselseitiges Entgegenkommen der Protestanten. In den Vereinigten Staaten tendierte das sich ausbreitende System der Toleranz nach einem frühen Versuch in Massachusetts, ein »heiliges Gemeinwesen« zu errichten, dazu, den in seinen Kreis eintretenden Gruppen eine protestantische Färbung zu geben. Amerikanische Juden und Katholiken glichen mit der Zeit immer weniger den Katholiken und Juden anderer Länder: Die Aufsicht über die Gemeinde wurde schwächer, die Predigten der Priester wurden weniger bindend, die Individuen bekräftigten ihre religiöse Unabhängigkeit, und Mischehen waren keine Seltenheit; die Tendenz zur hemmungslosen Sektenbildung, seit den ersten Tagen der Reformation eine vertraute Erscheinung, wurde zu einem allgemeinen Merkmal des religiösen Lebens in Amerika. Die Toleranz war der Differenz zuträglich, doch erzeugte sie unter den verschiedenen Gruppen auch ein Muster, das sie stark mit dem protestantischen Modell übereinstimmen ließ, was ein Zusammenleben sicherlich erleichterte.

Einige Gruppen widersetzten sich jedoch: Protestantische Sekten, die entschlossen waren, der »Uneinigkeit des Dissenses« zu entkommen (also dem Boden, in dem sie ursprünglich Wurzeln geschlagen hatten) und orthodoxe Zirkel innerhalb der traditionellen religiösen Gemeinschaften. Ich werde mich weiterhin auf die bereits genannten Beispiele beziehen, die amerikanischen Amish und die Hassidim. Das System der Toleranz gliederte auch diese Gruppen ein, allerdings nur an den Rändern. Es erlaubte ihnen, abgeschlossen zu leben, und schloß mit ihnen in heiklen Fragen wie dem Besuch öffentlicher Schulen einen Kompromiß. Lange Zeit war es den Amish gestattet gewesen, ihre Kinder zu Hause zu unterrichten. Als man sie schließlich aufforderte, zunächst seitens des Staates Pennsylvania und dann durch den Obersten Gerichtshof, der auf einen Fall in Wisconsin verwies, ihre Kinder auf staatliche Schulen zu schicken, kam man ihnen mit der Erlaubnis entgegen, sie früher als vom Gesetz vorgesehen aus der Schulen nehmen zu dürfen.[10] Was man dem Prinzip nach tolerierte, war eine Reihe individueller von aufeinanderfolgenden Generationen getroffener Entscheidungen, sich der Gemeinde der Amish anzuschließen und auf deren Weise Gott zu dienen. In der Praxis war es hingegen die Gemeinschaft der Amish als Ganze und ihre nur zum Teil durch die Schulpflicht gezügelte Autorität über ihre eigenen Kinder, die der wirkliche Gegenstand der Toleranz war und ist. Um dieser (Art von) Toleranz willen lassen wir es zu, daß die Kinder der Amish weniger Unterricht in Staatsbürgerkunde erhalten als amerikanische Kinder im allgemeinen. Diese Übereinkunft ist zum Teil dadurch gerechtfertigt, daß die Amish bloß eine Randgruppe sind, und teils weil sie selber auch nichts anderes sein wollen: Ihr Streben geht allein dahin, nirgendwo anders als an den Rändern der amerikanischen Gesellschaft zu leben und darüber hinaus keinerlei Einfluß zu suchen. Andere marginale religiöse Sekten haben eine ähnliche, vom liberalen Staat weitgehend geduldete Autorität über ihre Kinder behaupten können.

Das interessanteste Merkmal der frühen amerikanischen Toleranz war die Befreiung vom Militärdienst für die Angehörigen bestimmter protestantischer Sekten, die für ihre pazifistischen Überzeugungen bekannt waren.[11] Heutzutage ist die Wehrdienstverweigerung aus Gewissensgründen ein individuelles Recht, obwohl die Behörden durchaus bereit sind, die Zugehörigkeit zu einer dieser Sekten als Zeichen der Gewissensentscheidung zu akzeptieren. In ihren Ursprüngen aber war die Wehrdienstverweigerung effektiv ein Gruppenrecht. Sofern bei einer ganzen Reihe von sozialen Streitfragen – die Eidesverweigerung, die Ablehnung als Geschworener bei Gericht zu fungieren, öffentliche Schulen zu besuchen, Steuern zu bezahlen, die Forderung nach Polygamie, Tieropfern, Drogengebrauch zu kultischen Zwecken usw. – die Behauptung, das sei eine Gewissensfrage, überhaupt Legitimität beanspruchen kann, so auch heute nur, weil es sich um religiöse Praktiken, um Merkmale einer kollektiven Lebensweise handelt. Diese Praktiken könnten keinerlei Rechtfertigung für sich beanspruchen, wenn sie als rein individuelle verteidigt würden, selbst wenn die Individuen darauf bestünden, daß ihr Glaube, was sie zu tun oder zu unterlassen hätten, einer Erkenntnis, einem Mit-wissen und Gewissen entspringen würde, das sie mit ihrem Gott teilten.[12]

Religiöse Praktiken und Vorschriften von Minderheiten, die über die Bildung einer Gemeinde und das Feiern des Gottesdienstes hinausgehen, werden je nach ihrer Präsenz in der Öffentlichkeit oder ihrer Bekanntheit und der Empörung, die sie bei der Mehrheit auslösen, toleriert oder nicht. Eine große Bandbreite praktischer Übereinkommen steht sowohl in Nationalstaaten wie in Einwanderungsgesellschaften zur Verfügung. Männer und Frauen, die gegenüber den Behörden erklären, ihre Religion gebiete ihnen, dies oder das zu tun, mögen sehr wohl die Erlaubnis dazu erhalten, selbst wenn es keinem anderen gestattet wird, vor allem wenn sie es in aller Stille tun. Wortführer der Gemeinden, die gegenüber dem Staat erklären, sie könnten auf ihre Zwangsmittel nicht verzichten, wenn sie das Überleben der Gemeinschaft sichern wollten, mögen durchaus die Erlaubnis erhalten, jene Zwangsmittel anzuwenden, allerdings im Rahmen gewisser liberaler Einschränkungen. Dennoch wird immer ein Druck in Richtung des individualistischen Modells spürbar sein, auch wenn er nur zeitweilig drastischere Formen annimmt: Die Tendenz geht zu einer als freie Vereinigung begriffenen Gemeinschaft mit freiem Ein- und Austritt und nur geringem Anspruch und geringer Fähigkeit, das Alltagsleben ihrer Angehörigen zu bestimmen.

Gleichzeitig wird dieses System der Toleranz heute in den Vereinigten Staaten von Gruppen innerhalb der (christlichen) Mehrheit bedrängt, die sich nicht gegen die Versammlungsfreiheit oder die freie Religionsausübung sträuben, wohl aber darum fürchten, jeglichen sozialen Einfluß einzubüßen. Wenn Sekten versuchen, das Verhalten ihr Mitglieder zu regulieren, dann trachten die Mitglieder religiöser Mehrheiten danach, das Verhalten aller zu bestimmen, und das im Namen einer angeblich gemeinsamen (sagen wir jüdisch-christlichen) Tradition, im Namen von »Familienwerten« oder ihrer eigenen unerschütterli-

chen Überzeugungen von Gut und Böse. Fraglos ist das ein Beispiel für religiöse Intoleranz. Es spricht jedoch für den teilwei-
sen Erfolg des Systems der Toleranz, daß sich die Feindseligkeit
nicht unmittelbar gegen bestimmte minoritäre Religionsgemeinschaften richtet, sondern gegen die freiheitliche Atmosphäre, die
das System als Ganzes schafft.

Es kann kein Zweifel daran bestehen, daß Toleranz in dieser
Atmosphäre gedeiht und sogar, wie ich gezeigt habe, ihre entfal-
tetste Form erreicht, aber sie ist zumindest keine Bedingung für
religiöse Toleranz. Umfangreiche Beschneidungen der persönlichen Freiheit, wie beispielsweise ein Abtreibungsverbot, die
Zensur von Büchern und Zeitschriften (oder von Texten im Cy-
berspace), Diskriminierung von Homosexuellen, der Ausschluß
von Frauen in bestimmten Beschäftigungsbereichen usw. sind
auch als Produkte religiöser Intoleranz durchaus mit religiöser
Toleranz vereinbar, d.h. mit dem Bestehen vieler verschiedener
Kirchen und Kongregationen, deren Mitglieder Gott auf ihre eigene Weise verehren. Der Widerspruch spielt sich nicht zwischen Toleranz und der Beschneidung der Freiheit ab; er ist vielmehr wesentlicher Teil der Idee religiöser Toleranz selber; denn
praktisch alle tolerierten Religionen streben danach, die Freiheit
des einzelnen zu beschränken, die doch, zumindest in den Augen des Liberalen, das Fundament der ganzen Idee ist. Die meisten Religionen sind so beschaffen, daß sie das Verhalten regle-
mentieren. Wenn wir von ihnen verlangen, damit Schluß zu
machen oder auf alle für eine Reglementierung unerläßlichen
Mittel zu verzichten, dann dringen wir auf einen Wandel, dessen
Endergebnis nicht abzusehen ist.

Natürlich gibt es bereits religiöse Gemeinschaften, welche die
Freiheit des einzelnen in keiner Weise antasten, aber sie scheinen
manche, wenn nicht gar die meisten Gläubigen nicht zufrieden-
zustellen. Daher das Wiederaufleben sektiererischer und kulti-
scher Religiosität, das Wiedererstarken dogmatischer Glaubensgebäude, die das vorherrschende System der Toleranz angreifen.

Gesetzt, die Angriffe werden pariert, dieselbe Annahme machte ich ja bereits im vorigen Abschnitt, was haben wir dann zu erwarten? Wie wird es um die Dauer und die organisatorische Stärke eines auf purer Freiwilligkeit beruhenden Glaubens bestellt sein?

Schulwesen

Die Frage der Schulen ist in diesem Essay bereits an wichtigen Stellen gestreift worden, vor allem dort, wo es um die Behandlung der Geschlechter und den Erhalt und die Tradierung einer Kultur ging. Es gibt allerdings noch einen bedeutsame Punkt, den ich hier – und dann noch einmal im Abschnitt über die Zivilreligion – ansprechen muß, einen Punkt, der den Fortbestand des Systems der Toleranz selbst berührt. Muß das System nicht allen seinen Kindern, welchen Gruppen sie auch immer angehören mögen, den Wert seiner eigenen Verfassungseinrichtungen, die Tugenden seiner Gründer, Helden und gegenwärtigen Politiker vermitteln? Und wird ein solcher Unterricht, der ja seinem Charakter nach mehr oder weniger einheitlich ist, sich nicht in die Sozialisation der Kinder in den verschiedenen anderen kulturellen Gemeinschaften einmischen oder zumindest mit ihr konkurrieren? Selbstverständlich ist die Antwort in beiden Fällen positiv. Alle staatlichen Systeme müssen ihre Werte und Tugenden weitergeben und sicherlich konkurriert dieser Unterricht mit dem, was die Kinder von ihren Eltern oder von ihren Gemeinschaften lernen. Doch die Konkurrenz ist oder kann zumindest eine nützliche Lektion in Sachen (und in den Schwierigkeiten) gegenseitiger Toleranz sein. Staatliche Lehrer müssen etwa eine religiöse Belehrung außerhalb ihrer Schulen tolerieren, und die Religionslehrer müssen den staatlich organisierten Unterricht in Staatsbürgerkunde, politischer Geschichte, Naturkunde und anderen weltlichen Gegenständen tolerieren. Vermutlich werden die Kinder auf diesem Wege etwas darüber lernen, wie Toleranz in der Praxis funktioniert, beispielsweise wenn Kreationisten den staatlichen Biologieunterricht in Frage stellen, und sie werden auch etwas über die unvermeidlichen Spannungen lernen.

Multinationale Imperien stellen die wenigsten Forderungen an die schulische Ausbildung. Ihre politische Geschichte, die in der Hauptsache aus Eroberungskriegen besteht, wird in den eroberten Völkern kaum Gefühle von Loyalität wachrufen, und so ist es das Beste, sie nicht in den offiziellen Lehrplan aufzunehmen. Loyalität wird sich sehr viel eher an die kollektiven Geschichten von den heroischen Niederlagen heften, die sich die Unterworfenen erzählen. Häufiger wird die Loyalität zum »Kaiser«, der als Kaiser aller seiner Völker porträtiert wird, gelehrt. Der Kaiser, weniger das Imperium, steht im Mittelpunkt des offiziellen Unterrichts, denn dieses ist eindeutig nationalen Charakters, während die einzelnen Oberhäupter zumindest vorgeben können, über ihre nationale Herkunft hinauszuwachsen. Manchmal streben sie sogar nach vollkommener Erhabenheit, nach einer Vergöttlichung, die es ihnen erlaubt, jede partikulare Identität abzustreifen. Doch ist es gleichwohl Ausdruck religiöser Intoleranz, wenn der zum Gott erhobene Kaiser von seinen Untertanen göttliche Ehren verlangt – wie jene römischen Herrscher, die ihre Statuen im Jerusalemer Tempel aufstellen lassen wollten. In der Schule ist das Bild des Kaisers besser aufgehoben, dort kann es wohlwollend auf die Kinder herabblicken, die überhaupt irgend etwas, in vielerlei Sprachen und unter allen möglichen lokalen oder kommunalen Auspizien lernen.

Auch Konföderationen sind in der Lage, ein minimalistisches Curriculum zu unterrichten, in dessen Mittelpunkt eine nicht selten gereinigte Geschichte der gemeinschaftlichen Koexistenz und Kooperation sowie der Institutionen steht, die dies ermöglichten. Je länger die Koexistenz Bestand gehabt hat, um so wahrscheinlicher hat die gemeinsame politische Identität einen eigenen kulturellen Gehalt angenommen – so daß wir heute von einer schweizerischen Identität sprechen können –, die mit den Identitäten der verschiedenen Gemeinschaften voll und ganz konkurriert. Doch was unterrichtet wird, ist immer noch, jedenfalls im Prinzip, eine politische Geschichte, in der diese Gemeinschaften als Gleiche anerkannt sind und ihren Platz haben.

Ohne Frage sieht das Bild in Nationalstaaten mit nationalen Minderheiten anders aus, ist doch dort eine Gemeinschaft vor allen anderen privilegiert. Dieses System ist weitaus zentralisierter als Imperien und Konföderationen, und daher hat es, vor allem wenn es demokratisch verfaßt ist, ein größeres Bedürfnis nach Bürgern, nach Männern und Frauen, die loyal, engagiert, kompetent und mit dem Stil der dominanten Nation vertraut sind. Staatliche Schulen werden es sich angelegen sein lassen, Bürger dieser Art heranzubilden. Araber in Frankreich beispielsweise werden zur Loyalität gegenüber dem französischen Staat angehalten, sie lernen, sich in der französischen Politik zu engagieren, die Verfahren und den Ausdrucksstil der politischen Kultur Frankreichs zu beherrschen und sich in seiner politischen Geschichte und seinen institutionellen Strukturen auszukennen. Im großen und ganzen scheinen arabische Eltern und Kinder gegen diese Erziehungsziele nicht Sturm zu laufen; sie haben allein durch die Symbolik ihrer Kleidung versucht, ihre arabischen oder islamischen Bindungen zu bekräftigen, nicht aber, indem sie Einfluß auf den Schulunterricht nehmen wollten. Sie sind, zumindest dem Anschein nach, zufrieden, wenn sie ihre eigene Kultur in nichtstaatlichen Schulen, in religiösen Einrichtungen und zu Hause leben und ausdrücken können. Doch die französische Staatsbürgerschaft ist eine gewichtige Sache, die über die rein politische Sphäre weit hinausreicht. Seit vielen Jahren hat sie bewiesen, daß sie über eine große Integrations- und Assimilationsfähigkeit verfügt, weshalb sie für viele Eltern, wenn nicht für ihre Kinder, eine Bedrohung darstellen muß. Je mehr Länder wie Frankreich zu Einwanderungsgesellschaften (oder etwas dieser Art) werden, um so mehr wird man mit Widerstand gegen diese Bedrohung rechnen müssen.

Welche Form dieser Widerstand vermutlich annehmen wird, läßt sich an den Streitigkeiten über den Lehrplan in einer Einwanderungsgesellschaft wie den Vereinigten Staaten ablesen. Dort lernen die Kinder, daß sie individuelle Bürger einer pluralistischen und toleranten Gesellschaft sind, wo das, was toleriert wird, ihre eigene Wahl der Zugehörigkeit zu einer Kultur und Identität ist. Die meisten von ihnen haben bereits eine bestimmte Identität, entweder weil ihre Eltern schon eine »Wahl« getroffen haben, oder weil sie, etwa aufgrund ihrer rassischen Identität, einen bestimmten Platz in der sozialen Hierarchie einnehmen. Doch als Amerikaner haben sie das Recht, weitere Entscheidungen zu treffen, und es wird von ihnen verlangt, daß sie die bestehenden Identitäten und die weiteren Entscheidungen ihrer Mitbürger tolerieren. Diese Freiheit und diese Toleranz sind die Essenz dessen, was wir den amerikanischen Liberalismus nennen können.

In der Schule lernen alle Kinder, gleichgültig welcher ethnischen, religiösen oder rassischen Gruppe sie angehören, daß sie in diesem Sinn liberal sein müssen, um sich damit als Amerikaner zu beweisen, so wie die Kinder in französischen Schulen lernen, sich als Republikaner zu begreifen und damit als Franzosen. Der amerikanische Liberalismus ist jedoch auf eine Weise kulturell neutral, wie es der französische Republikanismus nicht sein kann. Dieser Unterschied scheint sich aus den beiden politischen Doktrinen zu ergeben: Der Republikanismus, wie Rousseau ihn lehrte, bedarf eines starken kulturellen Fundamentes, um einen hohen Grad an Partizipation unter seinen Bürgern sicherzustellen; der weniger anspruchsvolle Liberalismus kann dem Privatleben und der kulturellen Vielfalt mehr Raum lassen. Doch sollte man diesen Unterschied nicht, wie es so leicht geschieht, übertreiben.[13] Auch der Liberalismus ist eine substantielle politische Kultur, deren Ursprünge in der protestantischen und englischen Geschichte liegen. Die Erkenntnis, daß amerikanische Schulen tatsächlich diese Geschichte reflektieren und insofern ihr gegenüber kaum neutral sein können, hat einige Gruppen, die nicht protestantischer und englischer Herkunft sind, dazu veranlaßt, einen multikulturellen Schulunterricht zu fordern, der zwar nicht die liberale Geschichte vom Lehrplan streichen, wohl aber andere Geschichten hinzunehmen soll.

Man hört oft und ganz zurecht, der Witz des Multikulturalismus liege darin, die Kinder über ihre jeweilige Kultur aufzuklären und den Pluralismus der Einwanderungsgesellschaft in die Klassenzimmer zu tragen. Während frühere Versionen der Neutralität, die hier als Ausblenden kultureller Hintergründe verstanden oder vielmehr mißverstanden wurden, das Ziel verfolgten, alle Kinder zu reinen Amerikanern zu machen, sie also den englischen Protestanten so ähnlich wie möglich werden zu lassen, will der Multikulturalismus sie zu Amerikanern mit Bindestrich machen, die sie nun einmal sind, und ihnen Verständnis und Bewunderung für ihre eigene Vielfalt einflößen. Es gibt nicht den geringsten Grund für die Annahme, dieses Verständnis und diese Bewunderung würden zu den Anforderungen der liberalen Staatsbürgerschaft in ein Spannungsverhältnis geraten, obwohl auch hier noch einmal unterstrichen werden muß, daß der liberale Staat weniger hochgesteckte Anforderungen an seine Bürger stellt als der republikanische Nationalstaat.

Der Multikulturalismus verficht aber manchmal auch ein anders geartetes Programm, eines, das mit Hilfe staatlicher Schulen bedrohte oder in ihrem Wert herabgesetzte Identitäten stärkt. Der Punkt ist nicht, daß die Kinder lernen sollen, was es heißt, in bestimmten Hinsichten verschieden zu sein, vielmehr sollen die Kinder, von denen man erwartet, daß sie verschieden sind, lernen, dies auf die richtige Weise zu sein. Daher ist das Programm illiberal, zumindest in dem Sinn, daß es verwurzelte oder erklärte Identitäten verstärkt und nichts mit Wechselseitigkeit oder individueller Entscheidung zu tun hat. Vermutlich zieht es auch irgendeine Form getrennter Schulen nach sich, wie in der Theorie und Praxis des Afrozentrismus, der auf seine Weise versucht, für schwarze Kinder in staatlichen Schulen das zu leisten, was die Kirche für katholische Kinder in Privatschulen leistet. Der Pluralismus wohnt hier nur dem System als Ganzem inne, aber ihm fehlt die Basis in der Erfahrung der einzelnen Kinder, so daß der Staat eingreifen muß, um die verschiedenen Schulen zu verpflichten, neben all dem, was sie sonst noch unterrichten mögen, die Werte des amerikanischen Liberalismus nicht zu vernachlässigen. Das Beispiel der Katholiken zeigt, daß eine Einwanderungsgesellschaft mit derartigen Übereinkünften leben kann, zumindest solange der größte Teil der Schulkinder in gemischten Klassen unterrichtet wird. Ob eine liberale Politik überhaupt noch lebensfähig wäre, wenn alle Kinder eine (ihre »eigene«) Version der katholischen oder afrozentrischen Erziehung erhielten, ist hingegen zweifelhafter. Der Erfolg der liberalen Politik hinge dann von den Auswirkungen der außerschulischen Erziehung ab – von der täglichen Erfahrung mit der Massenkommunikation, am Arbeitsplatz und in der politischen Arbeit.

Zivilreligion

Man stelle sich das, was in den staatlichen Schulen über die Werte und Tugenden des Staates selber gelehrt wird, als die säkulare Offenbarung einer »Zivilreligion« vor – der Begriff stammt übrigens von Rousseau. Sieht man einmal von dem zum Gott erhobenen Kaiser ab, so ist diese Offenbarung zwar nur der Analogie nach eine religiöse, es lohnt sich aber dennoch, sie zu verfolgen. Denn hier haben wir es, wie das Beispiel der Schule zeigt, mit einer »Religion« zu tun, die vom Staat untrennbar ist: Sie ist das Glaubensbekenntnis des Staates, unverzichtbar für seine zeitliche Fortdauer und Stabilität. Die Zivilreligion besteht aus einer vollständigen Menge politischer Doktrinen, historischer Erzählungen, vorbildlicher Gestalten, feierlicher Anlässe und Gedenktage, mit deren Hilfe sich der Staat der Gemüter seiner Bürger bemächtigt, besonders derer seiner jüngeren oder neueren Mitglieder. Wie könnte es unter diesen Prämissen mehr als eine Menge politischer Doktrinen für jeden Staat geben? Gewiß, Zivilreligionen können sich nur in der internationalen Gesellschaft wechselseitig tolerieren, nicht aber auf innerstaatlichem Boden.

In der Realität sorgt die Zivilreligion nicht selten für ein intolerantes Verhalten in der internationalen Gesellschaft, da sie einen bornierten Stolz über das Leben diesseits der Grenze und Furcht und Mißtrauen gegenüber dem Leben jenseits der Grenze einflößt. Ihre innerstaatlichen Auswirkungen können hingegen sehr wohltuend sein, stiftet sie doch eine gemeinsame grundlegende Identität auf dieser Seite der Grenze, die alle nachfolgenden Differenzierungen weniger bedrohlich macht. Ohne Zweifel konkurriert die Zivilreligion ebenso wie das staatliche Schulwesen manchmal mit der Zugehörigkeit zu anderen Gruppen: so auch im Falle der französischen Republikaner und der französischen Katholiken im 19. Jahrhundert, oder der Republikaner und Muslime heute. Da Zivilreligionen aber im allgemeinen mit keiner Theologie verbunden sind, lassen sie sich mit der Differenz in Übereinstimmung bringen, sogar oder vor allem mit der religiösen Differenz. Trotz der spezifisch historischen Konflikte der Revolutionsjahre gibt es daher keinen Grund, warum ein gläubiger Katholik nicht auch ein begeisterter Republikaner sein könnte.

Toleranz wird daher mit größter Wahrscheinlichkeit gut funktionieren, wenn die Zivilreligion am wenigsten einer Religion gleicht. Wäre es Robespierre gelungen, die republikanische Politik mit einem voll entwickelten Deismus zu verknüpfen, hätte er möglicherweise eine dauerhafte Barriere zwischen Republikanern und Katholiken (und auch Muslimen und Juden) errichtet. Daß er mit diesem Versuch Schiffbruch erlitt, ist bezeichnend: Politische Glaubensbekenntnisse lasten sich auf eigene Gefahr echte religiöse Überzeugungen auf. Das Gleiche läßt sich über die Last echter atheistischer Überzeugungen sagen. Der militante Atheismus machte die kommunistischen Regimes in Osteuropa so intolerant wie jede andere Orthodoxie, und infolgedessen wurden sie politisch geschwächt, unfähig, eine große Zahl ihrer eigenen Bürger an sich zu binden. Die meisten Zivilreligionen sind klug genug, sich mit einer vagen, nicht genau spezifizierten und weitherzigen Religiosität zu begnügen, die eher eine Sache von Erzählungen und Feiertagen ist, als auf festen und klaren Überzeugungen zu beruhen.

Natürlich kann es gerade diese Freizügigkeit sein, an der orthodoxe Glaubensgemeinschaften Anstoß nehmen, da sie fürchten, ihre Kinder könnten so eine tolerante Einstellung gegenüber religiösen Irrtümern oder weltlichem Unglauben erwerben. Man weiß nicht so recht, wie man auf diese Befürchtungen reagieren soll. Man hofft, daß sie zu Recht bestehen, daß die öffentlichen Schulen, die Geschichten und Feiertage der Zivilreligion genau diese von den orthodoxen Eltern gefürchteten Auswirkungen haben werden. Eltern steht es frei, ihre Kinder von den öffentlichen Schulen fernzuhalten und sie vor der Berührung mit Zivilreligion zu bewahren, indem sie auf die eine oder andere Form ihre Zuflucht zur Isolation einer Sekte nehmen. Es ergibt hingegen gar keinen Sinn, wollte man behaupten, daß die Achtung vor der Vielfalt eine Einwanderungsgesellschaft wie die Vereinigten Staaten daran hindern müsse, Achtung vor der Vielfalt zu lehren. Und ohne Zweifel ist es eine legitime Form solch einer liberalen Erziehung, die Erzählungen aus der Geschichte der Vielfalt zu verbreiten und ihre großen Anlässe zu feiern.[14]

In Nationalstaaten werden die Geschichten und Feiertage von ganz anderer Art sein: Sie gehen aus der historischen Erfahrung der Mehrheitsnation hervor und vermitteln deren Wert. So sorgt die Zivilreligion für weitere mögliche Differenzierungen innerhalb der Mehrheit. Diese Differenzierungen berücksichtigen die religiösen, regionalen und Klassenunterschiede, doch schlagen sie keine Brücke zu Minderheiten. Statt dessen formulieren sie den Maßstab für die Assimilation der einzelnen: Sie machen deutlich, daß, wer Franzose werden will, sich vorstellen muß, wie seine Vorfahren die Bastille stürmten, oder es zumindest hätten tun können, wenn sie zur damaligen Zeit in Paris gelebt hätten. Doch eine nationale Minderheit mit einer eigenen Zivilreligion läßt sich immer noch tolerieren, solange sie ihre Riten in aller Stille feiert. Auch können ihre Mitglieder Staatsbürger werden, sie können lernen, was es mit der politischen Kultur Frankreichs auf sich hat, ohne sich ein Franzosentum anzuphantasieren.

Die von der Zivilreligion geförderte gemeinsame Identität ist vor allem in einer Einwanderungsgesellschaft wichtig, in der ja die Identitäten in anderen Hinsichten so verschieden sind. In multinationalen Imperien gibt es bezüglich der Identitäten offensichtlich eine noch größere Verschiedenheit, aber dort sind auch, sieht man von der einheitsstiftenden Gestalt des Kaisers und der ihr geschuldeten allgemeinen Loyalität ab, andere Arten von Gemeinsamkeit weniger gefragt. Heutige Einwanderungsgesellschaften sind zudem auch Demokratien, und deren politische Kraft hängt zu einem gewissen Grad von dem Engagement und der aktiven Teilnahme ihrer Bürger ab. Will die lokale Zivilreligion diese Eigenschaften stärken und zelebrieren, muß sie nicht allein andere Religionen willkommen heißen, sondern auch andere Zivilreligionen. Die glühendsten Verfechter der Zivilreligion werden natürlich darauf aus sein, die anderen zu verdrängen: Darauf zielte auch die Amerikanisierungskampagne zu Beginn des 20. Jahrhunderts. Und möglicherweise wird das auch die langfristige Wirkung der amerikanischen Erfahrung sein. Mag sein, daß jede Einwanderungsgesellschaft ein im Entstehen begriffener Nationalstaat ist, und die Zivilreligion eines der Instrumente, die diesen Wandel bewirken. Gleichwohl ist jede die Herausbildung eines Nationalstaates befördernde Kampagne ein Akt der Intoleranz, der sehr wahrscheinlich nicht widerstandslos hingenommen werden wird, und der die Spaltungen unter den und innerhalb der verschiedenen Gruppen befördert.

Jedenfalls zeigt sich, daß eine Zivilreligion wie der »Amerikanismus« sich recht gut mit dem zu arrangieren vermag, was wir als alternative zivilreligiöse Praktiken unter ihren Mitgliedern bezeichnen können. Die Erzählungen und Festlichkeiten, die beispielsweise mit Thanksgiving, Memorial Day und dem 4. Juli, dem Tag der Unabhängigkeitserklärungen, verbunden sind, können im gemeinsamen Leben der Iro-Amerikaner, der Afro-Amerikaner oder der jüdischen Amerikaner ohne Probleme neben ganz anderen Erzählungen und Festlichkeiten bestehen. Differenz enthält hier keinen Widerspruch. Überzeugungen kommen sehr viel eher miteinander in Konflikte als Erzählungen, und eine Festlichkeit negiert eine andere nicht, noch hebt sie sie auf oder weist sie zurück. Es ist in der Tat nicht schwer, die privaten gemeinsamen oder familiären Festlichkeiten unserer Mitbürger zur Kenntnis zu nehmen, wenn wir wissen, daß sie bei anderen Gelegenheiten öffentlich mit uns zusammen feiern werden. So gesehen macht es die Zivilreligion leichter, partielle Unterschiede zu tolerieren, oder anders gesagt, sie bestärkt uns darin, die Unterschiede nur für partielle zu halten. Wir sind Amerikaner, doch auch noch etwas anderes, und dieses andere können wir ohne Gefahr sein, sofern wir uns als Amerikaner fühlen.

Gewiß könnte es ideologisch oder theologisch ausgefeilte Zivilreligionen von Minderheiten geben, die den amerikanischen Werten widerstreiten, doch sofern sie existieren, haben sie sich bislang kaum öffentlich manifestiert. Auch fällt es nicht schwer, sich einen intoleranten »Amerikanismus« vorzustellen, einen,

der etwa christlichem Gedankengut verhaftet ist, ausschließ-
lich, ja sogar mit rassistischen Untertönen, seine europäischen
Ursprünge betont oder einen engen politischen Gehalt hat.
»Amerikanismen« dieser Art waren in der Vergangenheit nichts
Fremdes (so erklärt sich die Vorstellung von »unamerikanischen
Umtrieben«, der die antikommunistische Rechte in den dreißiger
Jahren anhing), und sie existieren noch heute, doch keine kann
derzeitig als vorherrschende Version gelten. Nicht nur im Prinzip ist die amerikanische Gesellschaft eine Versammlung von
Individuen mit vielfältigen, partiellen Identitäten, dem Bild ent-
spricht auch die amerikanische Wirklichkeit. Selbstverständlich
haben Religionen häufig dazu geführt, daß derartige Realitäten
geleugnet wurden, und Zivilreligionen können eine ähnliche
Verleugnung anstreben. Es mag sogar zutreffen, daß das Muster
der Differenz in den Vereinigten Staaten und in anderen Einwanderungsgesellschaften instabil und nicht von Dauer ist.
Doch auch dann ist ein *Kulturkampf* (dt. i. Orig.) nicht die beste
Antwort auf diese Situation. Eine Zivilreligion wird vermutlich
erfolgreicher sein, wenn sie versucht, die vielfältigen Identitäten
der Männer und Frauen, die sie an sich binden möchte, willkommen zu heißen, statt sich ihnen zu widersetzen. Ihr Ziel
besteht schließlich nicht darin, sie zu hundertprozentigen Kon-
vertierten zu machen, sie bezweckt lediglich eine politische Sozialisation.

Toleranz gegenüber Intoleranten

Sollten wir die Intoleranten tolerieren? Häufig wird von dieser
Frage behauptet, sie werfe das entscheidende und schwierigste
Problem für die Theorie der Toleranz auf. Das kann indes nicht
richtig sein, denn die meisten der Gruppen, die in den vier innerstaatlichen Systemen toleriert werden, sind in der Tat intolerant.

Es gibt beträchtlich viele »Andere«, die in ihnen weder Begeisterung noch Neugier erwecken, deren Rechte sie nicht anerkennen und auf deren Existenz sie weder mit Gleichgültigkeit noch mit Resignation reagieren. Die verschiedenen »Nationen« in den multinationalen Imperien sind vielleicht zeitweilig resigniert; sie passen sich der Koexistenz unter der imperialen Herrschaft an. Kämen sie aber selbst an die Macht, entfiele jeder Grund für eine Resignation, und eine von ihnen würden sicherlich daran gehen, mit der alten Koexistenz auf die eine oder andere Weise ein Ende zu machen. Das mag ein guter Grund sein, sie von der politischen Macht fernzuhalten, aber es ist überhaupt kein Grund, sie im Imperium nicht zu tolerieren. Dasselbe trifft auf die Konföderation zu, bei der der ganze Witz der Verfassung gerade darin liegt, die mögliche Intoleranz der angeschlossenen Gemeinschaften zu zügeln.

Ebenso gilt, daß Minderheiten in Nationalstaaten und Einwanderungsgesellschaften toleriert werden und toleriert werden sollten, auch wenn bekannt ist, daß ihre Landsleute oder Glaubensbrüder, die in anderen Ländern an der Macht sind, sich grausam intolerant gebärden. Dieselben Minderheiten können etwa in Frankreich oder Amerika nicht auf dieselbe Weise intolerant sein, das heißt, sie können ihre Nachbarn nicht bedrohen oder abtrünnige bzw. häretische Individuen in ihrer Mitte verfolgen und unterdrücken. Allerdings steht es ihnen frei, Dissidenten oder Häretiker zu exkommunizieren und aus ihrer Gemeinschaft auszustoßen, wie es ihnen auch überlassen bleibt, daran zu glauben und zu verkünden, daß solche Menschen auf ewig verdammt sind und ihnen kein Leben im Paradies vergönnt sein wird. Auch können sie glauben, daß alle anderen Gruppen ihrer Mitbürger ein Leben führen, das Gott mißfällt oder das für das Gedeihen der Menschheit verderblich ist. Genau das glaubten und sagten viele der protestantischen Sekten, für die das moderne System der Toleranz zunächst geschaffen wurde, und die für sein Funktionieren sorgten.

Der Zweck einer Trennung von Kirche und Staat in den modernen Verfassungen liegt ja darin, allen religiösen Autoritäten politische Macht zu verweigern, und zwar aufgrund der durchaus realistischen Annahme, daß sie zumindest potentiell zur Intoleranz neigen. Die Wirksamkeit ihres Ausschlusses von jeder politischen Macht vorausgesetzt, mögen sie lernen, tolerant zu sein, oder, was wahrscheinlicher ist, sie lernen zumindest, so zu leben als besäßen sie diese Tugend. Sehr viel mehr gewöhnliche Gläubige besitzen offensichtlich diese Tugend, vor allem in Einwanderungsgesellschaften, wo tägliche Begegnungen mit »Anderen« in und außerhalb ihrer eigenen Reihen unvermeidlich sind. Doch auch für diese Menschen ist die Trennung von Kirche und Staat unverzichtbar, und höchstwahrscheinlich werden sie ihr politisch zustimmen, da sie sie, wie jeden anderen auch, vor dem möglichen Fanatismus ihrer Glaubensbrüder schützt. Als Möglichkeit ist der Fanatismus (in Einwanderungsgesellschaften) auch stets unter den Aktivisten und militanten Vertretern der ethnischen Gruppen präsent, so daß aus genau denselben Gründen auch die Volksgruppen als Volksgruppen vom Staate getrennt sein sollten.

Die Demokratie bedarf noch einer weiteren Trennung, deren Wesen nicht klar begriffen wird: die Trennung der Politik selbst vom Staat. Politische Parteien konkurrieren um die Macht und kämpfen um die Durchsetzung eines Programms, das, wenn man so sagen darf, von einer ideologischen Position bestimmt ist. Zwar vermag die siegreiche Partei ihre Ideologie in eine Reihe von Gesetzen eingehen lassen, aber sie kann sie nicht zum offiziellen Glaubensbekenntnis der Zivilreligion erheben, sie kann den Tag ihres Machtantritts nicht zu einem nationalen Feiertag erklären, sie kann nicht darauf dringen, daß ihre Parteigeschichte zum Pflichtunterricht in öffentlichen Schulen wird, und sie kann auch nicht die Staatsmacht dazu einsetzen, Veröffentlichungen oder Versammlungen anderer Parteien zu verbieten.[15] Das alles geschieht in totalitären Regimes, und es bildet ein exaktes Pendant zur politischen Errichtung einer monolithischen Kirche. Religionen, die auf die Errichtung einer solchen Kirche hoffen, und Parteien, die von der totalen Kontrolle träumen, können sowohl in liberal demokratischen Nationalstaaten als auch in Einwanderungsgesellschaften toleriert werden, und gemeinhin geschieht das auch. Doch dürfen sie, wie ich schon zu Anfang sagte, daran gehindert werden, die Macht im Staat zu ergreifen, ja sogar sich darum zu bewerben.[16] In ihrem Fall läuft die Trennung zwischen Politik und Staat darauf hinaus, daß sie auf die Zivilgesellschaft beschränkt bleiben: Sie können Reden halten, veröffentlichen und sich versammeln, doch mehr als eine sektiererische Existenz wird ihnen nicht erlaubt.[17]

V. MODERNE UND POSTMODERNE TOLERANZ

Die modernen Projekte

Einige Schranken der Toleranz habe ich analysiert, was aber noch zu erörtern bleibt, sind die Systeme der Intoleranz, d. h. der Istzustand vieler Imperien, Nationalstaaten und Einwanderungsgesellschaften. In diesen Systemen ist die Tolerierung der Differenz durch einen Drang nach Einheit und Homogenität ersetzt. Das imperiale Zentrum möchte etwas mehr in der Richtung eines Nationalstaats schaffen: daher die Russifizierungskampagnen der Zaren im 19. Jahrhundert. Oder der Nationalstaat erhöht den Druck auf Minderheiten und Einwanderer: Assimiliert euch oder geht wieder! Oder die Einwanderergesellschaft heizt ihren Schmelztiegel, den berühmten *melting pot*, auf, um ein neues Nationalbewußtsein zu schmieden, und zwar in aller Regel nach dem Bilde irgendeiner früheren Siedler- oder Einwanderungsgruppe. Die »Amerikanisierung« in den USA zu Beginn des 20. Jahrhunderts ist das Beispiel, das ich für dieses Vorhaben angeführt habe. In Wahrheit handelt es sich dabei um die Anstrengung, Einwanderer ins Land zu bringen, ohne der Differenz Rechnung zu tragen.

Anstrengungen dieser Art bringen bisweilen kulturelle und religiöse Differenzen erfolgreich zum Verschwinden, manchmal jedoch, wenn sie dicht davor sind, in Verfolgung auszuarten, verstärken sie sie nur. Sie grenzen die Angehörigen von Minderheiten aus, diskriminieren sie wegen ihrer Zugehörigkeit, treiben sie einander in die Arme und erzeugen so eine leidenschaftliche Solidarität. Dennoch würden weder die Führer solcher Minderheiten noch deren engagierteste Angehörige sich freiwillig für ein System der Intoleranz entscheiden.[1] Gibt man ihnen die Möglichkeit, werden sie die eine oder andere Form individueller bzw. kollektiver Tolerierung anstreben: die Assimilation des je einzelnen in die Bürgerschaft oder die Anerkennung für ihre Gruppe in ihrem Heimatland oder auf internationaler Ebene, einschließlich eines gewissen Grades an Selbstverwaltung – regionaler oder funktionaler Autonomie, Konföderation oder souveräner Staatlichkeit.

Wir können in diesen beiden Formen der Toleranz, individuelle Assimilation und Anerkennung als Gruppe, die beiden Hauptanliegen moderner demokratischer Politik sehen. Normalerweise stellt man sich vor, beide schlössen einander aus: Entweder die Individuen oder die Gruppen würden aus Verfolgung und Schattendasein befreit, und die Individuen würden nur in dem Maß befreit, als sie sich von ihren Gruppen emanzipieren. Ich habe Sartres Zusammenfassung dieser zweiten Position bereits angeführt; sie hat ihre Wurzeln in der Französischen Revolution. Die Revolutionäre hatten als erstes vor, das Individuum aus den alten ständischen Bindungen zu befreien und es (erst ihn, später auch sie) mit einem Kranz von Rechten zu umgeben. Sodann sollten diese Rechtssubjekte ihre staatsbürgerlichen Pflichten kennenlernen. Zwischen der individuellen und der politischen Ebene, der Republik der französischen Staatsbürger, kannten die Revolutionäre nichts als eine große Leere. Das erleichterte den Wechsel von der Privatsphäre zur öffentlichen Sphäre beträchtlich und förderte die kulturelle Assimilation und politische Partizipation.

Die nachrevolutionären Liberalen und Demokraten lernten allmählich die vermittelnden Vereinigungen, die faktisch dieses Nichts ja ausfüllen, als Ausdruck individueller Interessen und Überzeugungen wie auch als Schule für die Demokratie schätzen. Doch eben diese Vereinigungen gewähren auch nationalen Minderheiten eine Art Heimat, in der sie ihre kollektive Identität pflegen und dem Assimilationsdruck widerstehen können. Beides können die liberalen Demokraten in Maßen durchaus akzeptieren, jedenfalls bis zu dem jeweiligen Punkt, an dem die Vereinigungen für deren einzelne Mitglieder bedrohlich werden oder ihr republikanisches Engagement schwächen. Republikanische Staatsbürger beweisen den einzelnen Angehörigen einer Minderheit dadurch Toleranz, daß sie sie ungeachtet ihrer Religion oder ethnischen Zugehörigkeit erst als Mitbürger aufnehmen und dann auch die von ihnen gebildeten Gruppen tolerieren, aber nur sofern diese im strikten Sinne des Wortes nachgeordnete Vereinigungen sind.

Die demokratische Gleichberechtigung ist das erste Hauptanliegen der Moderne. Wir können uns die Politik der demokratischen Linken während der letzten beiden Jahrhunderte als eine Reihe von Kämpfen für die Gleichberechtigung vorstellen: Die Juden, die Arbeiter, die Frauen, die Schwarzen und Einwanderer verschiedenster Herkunft erstürmen und reißen schließlich die Mauern des bourgeoisen Gemeinwesens nieder. Im Lauf des Kampfes bilden sie machtvolle Parteien und Bewegungen, Organisationen zum Zweck kollektiver Verteidigung und wirtschaftlichen Fortkommens. Doch sobald sie die Stadt betreten, kommen sie als Individuen.

Die Alternative zum Eintritt ist Trennung. Das ist das zweite Hauptanliegen der Moderne: der Gruppe im ganzen eine eigene Stimme, ihren Platz und ihre Politik einzuräumen. Jetzt steht nicht der Kampf um Gleichberechtigung auf der Tagesordnung, sondern ein Kampf um Grenzziehungen. Die entscheidende Forderung in diesem Kampf lautet »Selbstbestimmung«, was das Bedürfnis nach einem Stück Land oder zumindest nach einer gewissen Menge unabhängiger Institutionen zum Ausdruck bringt – also Dezentralisierung, Machtübertragung, Autonomie, Teilung oder Souveränität. Die Grenzen richtig zu ziehen, nicht nur geographisch, sondern auch funktional verstanden, ist außerordentlich schwierig. Jede politische Entscheidung ist heftig umstritten. Dennoch muß eine Entscheidung getroffen werden, wenn die verschiedenen Gruppen die Sicherheit haben sollen, eine nennenswerte Kontrolle über ihr eigenes Schicksal auszuüben.

Heutzutage sind wir damit beschäftigt, die alten imperialen Strukturen den neuen Verhältnissen anzupassen und das moderne internationale System auszuweiten, vermehrt Nationalstaaten zu schaffen, selbstverwaltete Regionen, verschiedenartige Gesellschaften, lokale Autoritäten usw. Man beachte, was bei diesem zweiten Projekt anerkannt und toleriert werden soll: Jedesmal sind es Gruppen und deren Mitglieder, es sind Männer und Frauen, von denen man annimmt, daß ihre Identität zumindest primär ethnischen oder religiösen Charakters ist. Das Unternehmen hängt offenbar daran, daß man diese Menschen mobilisiert, tatsächlich sind es aber nur ihre Führer, die Beziehungen zu einander aufnehmen, über die Grenzen hinweg, einer nach dem anderen (es sei denn, die Beziehung ist militärischer Natur). Gruppenautonomie stärkt die Autorität der traditionellen Eliten, Konföderationen haben üblicherweise die Form, daß dieselben Eliten sich darauf verständigen, die Macht zu teilen, und Nationalstaaten verständigen sich durch ihr diplomatisches Korps und ihre politischen Führer. Für die Hauptmasse der Gruppenmitglieder wird die Toleranz durch Trennung aufrechterhalten, da man davon ausgeht, daß diese Menschen sich eben als Mitglieder einer Gruppe begreifen und im wesentlichen unter sich bleiben wollen. Zäune, sagt man sich, täten dem nachbarschaftlichen Miteinander nur gut.[2]

Aber diese beiden Projekte können auch gleichzeitig von verschiedenen Gruppen verfolgt werden, ja von verschiedenen Mitgliedern ein und derselben Gruppe. Diese zweite Möglichkeit ist sogar eine alltägliche Erscheinung: Manche Leute versuchen, aus dem Ghetto ihrer religiösen oder ethnischen Zugehörigkeit auszubrechen, indem sie behaupten, ausschließlich Staatsbürger zu sein, während andere gerade als Mitglieder einer organisierten

religiösen oder ethnischen Gemeinschaft Toleranz und Anerkennung erwarten. Eigenwillige oder schlicht exzentrische Individuen, die ihre jeweilige Gemeinschaftsbindung abgeschüttelt
haben, leben neben engagierten oder einfach etablierten Männern und Frauen, die eben diesen sozialen Hintergrund ausmachen und an seiner Fortdauer arbeiten. In diesem Fall konkurrieren die beiden Projekte anscheinend miteinander: Sollen wir den
Ausbruch des einzelnen oder das Engagement zugunsten der
Gruppe vorziehen? Es gibt allerdings keinen guten Grund, sich
in dieser Beziehung festzulegen. Der Konflikt muß von Fall zu
Fall ausgetragen werden, für die unterschiedlichen Gruppen in
unterschiedlichen Systemen auf jeweils eigene Weise (wir hatten
dafür bereits eine Reihe von Beispielen). Der Konflikt läßt sich
auch nicht endgültig lösen, denn woraus sollten die einzelnen
noch ausbrechen, wenn das Bekenntnis zur Gruppe ganz auf-
hörte? Was für einen Stolz könnten sie noch aus einem Ausbruch ziehen, bei dem es keine Mauern zu überwinden gab?
Und wer wären sie schon, wenn sie nicht darum hätten kämpfen
müssen, so zu werden, wie sie sind? Das Nebeneinander von
Gruppenzwang und individueller Emanzipation ist, bei allen
Schwierigkeiten, ein unverlierbarer Zug der Moderne.

Postmoderne?

Das letzte meiner Modelle für Toleranz deutet freilich auf ein
anderes Muster und vielleicht auf ein postmodernes Projekt. In
Einwanderungsgesellschaften (und jetzt auch unter dem Ein-
wanderungsdruck in Nationalstaaten) sammeln die Menschen
allmählich damit Erfahrungen, was man sich als ein Leben ohne
feste Grenzen und ohne festumrissene, exklusive Identitäten
vorzustellen hätte. Die Differenz ist sozusagen verstreut, so daß
sie überall, Tag für Tag anzutreffen ist. Die einzelnen brechen

aus der Enge ihres provinziellen Daseins aus und mischen sich aus freien Stücken unter die Angehörigen der Mehrheit, ohne daß sie sich deswegen einer gemeinsamen Identität assimilieren müßten. Der Gruppenzwang ist lockerer als je zuvor, ohne daß er deswegen völlig gebrochen wäre. Was dabei herauskommt, ist ein fortwährendes Sichvermischen von Individuen, die nicht mehr eindeutig mit einer Identität zu belegen sind, die untereinander heiraten und so zu einem hochentwickelten Multikulturalismus beitragen, der nicht nur in der Gesellschaft als Ganzer herrscht, sondern sich auch zunehmend in Familien, ja in den Individuen selbst niederschlägt. Toleranz beginnt nun schon in der Familie, wo wir Frieden schließen müssen mit der ethnischen, religiösen und kulturellen Zugehörigkeit unserer Ehepartner, unserer Schwiegersöhne und -töchter, unserer Kinder und auch mit unserem eigenen zusammengesetzten oder geteilten Selbst.

Diese Art von Toleranz ist vor allem in der ersten Generation schwierig, wenn die Familien gerade erst gemischt wurden, das Selbst erst seit kurzem geteilt, wenn die Erinnerung an geschlossenere Gemeinschaften und ein einheitlicheres Bewußtsein noch frisch sind, und vielleicht noch Sehnsucht nach diesem Zustand besteht. Der Fundamentalismus ist gewissermaßen die ideologische Form dieser Sehnsucht; seine Intoleranz richtet sich, wie ich schon behauptet habe, weniger gegen andere orthodoxe Glaubensgebäude als vielmehr gegen weltliche Verwirrung und Anarchie. Doch selbst für Leute, die keinerlei fundamentalistische Neigungen haben, mag die hautnahe Begegnung mit der Differenz etwas Beunruhigendes haben. Denn viele von ihnen empfinden noch stets Gefühle der Loyalität, zumindest der Nostalgie gegenüber den Gruppen, zu denen sie, ihre Eltern und ihre Großeltern (väterlicher- oder mütterlicherseits) weiterhin historische Verbindungen haben.

Stellen wir uns nun vor, daß bereits einige Generationen den postmodernen Weg beschritten haben, daß die Männer und

Frauen von allen derartigen Bindungen abgeschnitten sind, daß sie ihr eigenes »Selbst« aus den zerstückelten Resten der alten Kulturen und Religionen (oder was da sonst noch verfügbar ist) formen. Die von diesen selbst kreierten, sich neu erfindenden Individuen gebildeten Vereinigungen sind vermutlich wenig mehr als zeitweilige Bündnisse, die leicht auseinanderbrechen, wenn sich etwas Verheißungsvolleres auftut. Sollte man da nicht annehmen, daß Toleranz und Intoleranz in einem solchen Handlungsraum von rein persönlicher Sympathie oder Antipathie abgelöst werden? Ist nicht zu erwarten, daß die alten, öffentlich ausgetragenen Streitigkeiten und politischen Konflikte darüber, wer toleriert werden soll und wie weit, privaten Melodramen weichen? Von dieser Perspektive aus fällt es schwer, sich vorstellen, daß irgendeines der Systeme der Toleranz eine Zukunft haben wird. Ich nehme an, daß wir auf die Marotten und Schwächen unserer postmodernen Mitmenschen mit Resignation, Gleichgültigkeit, Stoizismus, Neugierde und Begeisterung reagieren. Doch da unsere Mitmenschen nicht mehr als erkennbare Menge auftreten werden, wird es auch unseren Reaktionen an einem gleichbleibenden Muster fehlen.

Das Projekt Postmoderne untergräbt jede Form der gemeinsamen Identität und eines allgemeinen Verhaltens: Es schafft eine Gesellschaft, in der die Pluralpronomen »wir« und »sie« (sogar die gemischten Pronomen »wir« und »ich«) keinen festen Bezugspunkt mehr haben, sondern darauf hinweisen, daß hier die individuelle Freiheit den höchsten Grad der Vollkommenheit erreicht hat. Die bulgarisch-französische Schriftstellerin Julia Kristeva ist in theoretischer Hinsicht eine der interessantesten Verfechter dieses Projekts. Sie drängt uns zu der Erkenntnis, daß wir in einer Welt von Fremden leben (»denn nur die Fremdheit ist allgemein«) und den Fremden in uns anerkennen sollten. Neben einem psychologischen Argument, das ich hier übergehen muß, formuliert sie aufs neue ein sehr altes moralisches Argument, dessen erste Version das biblisches Gebot ist »Du sollst den Fremden nicht bedrücken, denn ihr selbst ward Fremdlinge im Lande Ägypten«. Kristeva verändert das Pronomen, die Zeitform des Verbs und den geographischen Bezug, um eine zeitgenössische Neuauflage zu ermöglichen: Unterdrücke nicht den Fremden, denn wir sind alle Fremde in diesem Land. Gewiß ist es leichter, das Anderssein zu tolerieren, wenn wir den anderen in uns selbst anerkennen.[3]

Doch wenn wir alle Fremde sind, dann ist niemand ein Fremder. Denn nur wenn wir in irgendeiner starken Form Selbigkeit erfahren, können wir das Anderssein überhaupt wahrnehmen. Ein Verbund von Fremden wäre allenfalls eine momentane Zusammenballung, die nur im Gegensatz zu irgendeiner ständigen Gemeinschaft existierte. Gäbe es keine solche Gemeinschaft, gäbe es auch nicht einen solchen Verbund. Es wäre denkbar, daß Staatsbeamte sämtliche postmodernen Fremden »tolerieren«, daß das Strafrecht die Grenzen der Tolerierung festlegt und daß mehr nicht nötig wäre. Die Politik der Differenz, das ständige Verhandeln über die Rechte der Gruppe und die Rechte des Individuums wären allerdings ein für allemal überflüssig geworden.

Kristeva beschreibt einen Nationalstaat, der sich sozusagen auf dem Weg zu diesem Zustand befindet. Frankreich, sofern es seinem aufklärerischen Erbe treu bleibt, dient ihr als Beispiel für die »optimale Umsetzung« dieses Zustands, wodurch Kristeva sich als eine jener idealen Einwanderinnen erweist, die einen prinzipienfesteren Patriotismus vertreten, als ihn die meisten im Lande Geborenen je erreichen werden. Frankreich von seiner besten Seite gesehen, ist, wie Kristeva schreibt, eine »Übergangs«gesellschaft, in der nationale Traditionen noch immer ein »zähes« Leben führen, während die Individuen, jedenfalls bis zu einem gewissen Grad, ihre Identität selbst bestimmen und sich selbst soziale Verbände schaffen können, die sich nicht »dem Schicksal, sondern der Klarsichtigkeit« verdanken. Diese Selbstbestimmung deutet auf eine »noch unvorhersehbare«, aber dennoch vorstellbare »Polyvalenz« einer Gemeinschaft hin, auf eine »Welt ohne Ausländer«, was auch heißen muß, auf ein Frankreich ohne Franzosen, so daß Kristeva vermutlich nur eine zeitweilige Patriotin ist.[4]

Selbst die fortgeschrittensten Einwanderungsgesellschaften, in denen Individuen, die sich ganz nach ihren Vorstellungen geformt haben, und individualisierte Versionen von Kultur und Religion sehr viel stärker in Erscheinung getreten sind als in Frankreich, sind noch keine »polyvalenten Gemeinschaften«. Wir gehören noch stets zur ersten Generation: Wir leben nicht die ganze Zeit in einer Welt von Fremden, auch begegnen wir der Fremdheit anderer nicht von Person zu Person. Vielmehr erfahren wir die Differenz noch immer kollektiv, und das in Situationen, in denen persönliche Beziehungen von einer Politik der Toleranz unterstützt werden müssen. Es wäre falsch zu meinen, das postmoderne Projekt würde die Moderne einfach ablösen, wie es einige großspurige Metadarstellungen der historischen Stadien suggerieren. Postmoderne und Moderne überlagern einander, ohne daß das eine in irgendeiner Weise aufgehoben worden wäre. Es gibt weiterhin Grenzen, doch sind sie aufgrund der vielen Grenzüberschreitungen nicht mehr sehr scharf. Wir wissen immer noch von uns, daß wir dieses oder jenes sind, doch das Wissen ist verschwommen, da wir auch dies *und* das sind. Gruppen mit einer starken Identität existieren und behaupten sich politisch, doch die Ergebenheit ihrer Mitglieder variiert nach Graden auf einer weit auseinandergezogenen Skala, wobei immer mehr sich am unteren Ende drängen, was auch erklärt, warum die militanten Vertreter der Gruppe am oberen Ende heutzutage so scharfe Töne anschlagen.

Dieser Dualismus von Moderne und Postmoderne macht es notwendig, die Differenz auf zweifache Weise zu berücksichtigen: zum einen hinsichtlich ihrer singulären individuellen und kollektiven Spielarten und zum anderen in ihren pluralistischen, verstreuten und geteilten Spielarten. Wir müssen als Staatsbürger und Gruppenmitglieder toleriert und geschützt werden, aber auch als solche, die für beide Fremde sind. Selbstbestimmung muß zugleich politisch und persönlich sein, doch obwohl beides miteinander zusammenhängt, ist es nicht identisch. Das alte Verständnis der Differenz, das die Individuen an ihre autonomen oder souveränen Gruppen bindet, wird auf den Widerstand abweichender und schwankender Individuen stoßen. Jedoch wird auch jedes neue Verständnis der Differenz, das sich allein auf Dissidenten konzentriert, den Widerspruch von Männern und Frauen hervorrufen, die sich nach wie vor darum bemühen, eine gemeinsame religiöse oder kulturelle Tradition aufzunehmen, umzusetzen, weiterzuentwickeln, zu reformieren und weiterzugeben. Wie die Dinge heute stehen, muß die Differenz, mit welcher Mischung aus Resignation, Gleichgültigkeit, Stoizismus, Neugierde und Begeisterung auch immer, auf zwei Ebenen toleriert werden, auf der persönlichen und der politischen Ebene, und die Mischung mag in beiden Fällen eine andere sein.

Ich bin mir allerdings unsicher, ob die beiden Versionen der Toleranz moralisch oder politisch gleichbedeutend sind. Das geteilte Selbst der Postmoderne scheint bezüglich der ungeteilten Gruppen, denen es entstammt und die, wenn man so will, die kulturelle Basis bilden, auf der sie sich ihren eigenen Vorstellungen gemäß formen, parasitär zu sein. Worüber sollten sich Kristevas Subjekte klar sein, wenn nicht über ihre zähen Traditionen? Je weiter sie sich von ihrer kulturellen Basis entfernen, um so weniger Arbeitsmaterial steht ihnen zur Verfügung. Ist das postmoderne Projekt, von seinem notwendigen historischen Hintergrund losgelöst betrachtet, nicht dazu angetan, zunehmend seichtere Individuen und ein radikal verarmtes kulturelles Leben hervorzubringen? Es mag daher gute Gründe geben, sich auf Dauer in den Problemen der von mir so genannten ersten Generation einzunisten. Wir sollten nicht verkennen, daß die außergewöhnlich große persönliche Freiheit, die wir als Fremde und mögliche Fremde in heutigen »Übergangs«gesellschaften genießen, einen Wert darstellt. Doch wir müssen zugleich die Systeme der Toleranz auch auf eine Weise gestalten, welche die verschiedenen Gruppen stärkt und vielleicht sogar die Individuen ermuntert, sich stark mit der einen oder anderen von ihnen zu identifizieren. Die Moderne kommt, wie ich argumentiert habe, nicht ohne die anhaltende Spannung zwischen Individuum und Gruppe, Bürger und Mitglied aus. Die Postmoderne muß ihrerseits in einem ständigen Spannungsverhältnis zur Moderne verharren: zwischen Bürgern und Mitgliedern auf der einen Seite und dem geteilten Selbst, dem in jeder Kultur Fremden. Radikale Freiheit ist ein recht dürftiger Stoff, es sei denn, sie bewegt sich in einer Welt, die ihr beträchtlichen Widerstand entgegensetzt.

Sollte diese These jedoch richtig sein, so mag meine frühere Behauptung, daß die Toleranz mit jeder Haltung auf der Skala von Resignation über Gleichgültigkeit, Stoizismus, Neugierde und Begeisterung gleichermaßen gut fährt, für unsere Tage ihre Gültigkeit verloren haben. Nur wenn die Gruppen autark sind, reicht eine resignierte, gleichgültige oder stoische Haltung, um ein Zusammenleben zu ermöglichen. Auf dieser Grundannahme beruhten ja alle Systeme der Toleranz: Es gibt nun einmal religiöse, nationale und ethnische Gruppen, die es verstehen, starke Loyalitätsgefühle einzuflößen, und die, wenn überhaupt etwas, so beschnitten werden müssen, daß auch für Patriotismus und die Gemeinsamkeit der Staatsbürger noch Platz ist. Sind die Gruppen hingegen schwach und auf Hilfe angewiesen – was sie, wie ich im Epilog darlege, im Fall Amerika tatsächlich sind –, dann ist eine gewisse Mischung aus Neugierde und Begeisterung unverzichtbar. Nur sie wird für die nötige Motivation sorgen, um die notwendige Hilfe zu leisten. Die freien und isolierten Individuen in demokratischen Gesellschaften werden nicht aus freien Stücken diese Hilfe leisten, noch werden sie ihre Regierungen dazu autorisieren. Diesen Schritt werden sie erst tun, wenn sie erkennen, welche Bedeutung derartige Gruppen –

ihre eigene und all die anderen – für die Bildung und Entwicklung von Individuen wie ihnen selbst haben, wenn ihnen klar wird, daß der Witz der Toleranz nicht darin liegt und auch nie darin lag, jedes »wir« und »sie« auszumerzen (und ganz sicher nicht ein »ich«), sondern daß es darum geht, ein dauerhaftes friedliches Zusammenleben und Miteinander zu garantieren. Das geteilte Selbst der Postmoderne macht dieses Zusammenleben komplizierter, doch ist es auch darauf angewiesen. Denn wie anders sollte es sich selbst schaffen und begreifen können?

EPILOG
REFLEXIONEN ÜBER DEN AMERIKANISCHEN MULTIKULTURALISMUS

Zwei mächtige Zentrifugalkräfte sind in den Vereinigten Staaten heute am Werk. Die eine führt dazu, daß einem vermeintlich gemeinsamen Zentrum ganze Gruppen wegbrechen, die andere verstreut die einzelnen in alle Winde. Beide dezentrierenden, separatistischen Bewegungen haben ihre Kritiker, nach deren Ansicht die erste von einem engstirnigen Chauvinismus und die zweite von reiner Selbstsucht beseelt sei. Die sich separierenden Gruppen machen auf diese Kritiker den Eindruck exklusiver und intoleranter Stämme, die sich separierenden Individuen den von entwurzelten, einsamen und unerträglichen Egoisten. Weder die eine noch die andere Ansicht sind ganz falsch, ganz richtig sind sie allerdings auch nicht. Die beiden Bewegungen müssen zusammen gesehen werden und zwar vor dem Hintergrund einer Einwanderungsgesellschaft und eines Demokratieverständnisses, die zusammen genommen diese zentrifugalen Kräfte überhaupt erst ermöglichen. Wenn man sie im Zusammenhang betrachtet, kommt es mir so vor, Physik hin, Physik her, als wäre die eine das Heilmittel für die andere.

Die erste der beiden Kräfte ist eine zunehmend lautstarke Artikulation der Gruppendifferenz. Dabei ist offensichtlich die Artikulation das neue, denn die Differenz selber – Pluralismus, ja Multikulturalismus – ist seit jeher ein charakteristischer Zug des amerikanischen Lebens. John Jay sagt in einem der *Federalist Papers* (Nr. 2) von den Amerikanern, sie seien Menschen, die »von denselben Vorvätern abstammen, dieselbe Sprache sprechen, dieselbe Religion haben, dieselben Vorstellungen über die richtige Staatsform haben und sehr ähnliche Sitten und Bräuche«.

Diese Zeilen waren bereits unzutreffend, als Jay sie in den achtziger Jahren des 18. Jahrhunderts schrieb, und im Lauf des 19. Jahrhunderts wurden sie gänzlich zu Makulatur. Die Masseneinwanderung verwandelte die USA in ein Land vieler verschiedener Vorväter, Sprachen, Religionen, Sitten und Bräuche. Politische Prinzipien, die Maximen der Toleranz, sie sind unser einziges festes nationales Glaubensbekenntnis. Demokratie und Freiheit bilden den Rahmen und definieren die Grundregeln für den amerikanischen Pluralismus.

Die Kontraste, die ich mit Hilfe der Typologie der Toleranzsysteme herauszuarbeiten versucht habe, lassen uns besser begreifen, wie radikal dieser Pluralismus ist. Man nehme auf der einen Seite die (relative) Homogenität solcher Nationalstaaten wie Frankreich, Holland, Norwegen, Deutschland, Japan und China, wo bei aller regionalen Verschiedenheit die große Mehrheit der Staatsbürger an einer bestimmten ethnischen Identität teilhat und eine gemeinsame Geschichte kultiviert. Man nehme auf der anderen Seite die territorial gebundene Heterogenität der alten multinationalen Imperien und sodann der Staaten, die heute deren Erbe angetreten haben, das frühere Jugoslawien zum Beispiel, das neue Äthiopien, das neue Rußland, Nigeria, Irak, Indien usw., wo jeweils eine ganze Reihe ethnischer und religiöser Minderheiten auf ihr angestammtes Siedlungsgebiet Anspruch erheben, mögen übrigens die genauen Grenzen noch so strittig sein. Die USA unterscheiden sich von beiden Ländergruppen: Sie sind nicht homogen, weder auf nationaler noch auf lokaler Ebene; sie sind entschieden heterogen, ein Land der verstreuten Vielfalt, das, sieht man einmal von den verbleibenden Indianern ab, niemandes angestammtes Siedlungsgebiet ist. Selbstverständlich kommt es von Ort zu Ort zu Segregationserscheinungen, freiwilligen wie unfreiwilligen. Es gibt ethnisch homogene Stadtviertel und Orte, welche weniger exakt denn rhetorisch »Ghettos« genannt werden. Aber keine unserer Gemeinschaften, außer zeitweilig die Mormonen in Utah, hat es jemals zu

irgendwie gearteter stabiler geographischer Vorherrschaft gebracht. In den USA gibt es nichts in der Art Sloweniens, Que-
becs oder Kurdistans. Auch in den abgeschottetsten Milieus
erleben die US-Amerikaner Tag für Tag die Differenz.

Gleichwohl ist die ungezügelte und glühende Artikulation der
Differenz in den USA ein ziemlich neues Phänomen. Vorurteile,
Unterdrückung und Furcht haben lange jeder öffentlicher Be-
kundung von »Sitten und Bräuchen« einer Minderheit entgegen-
gearbeitet und dafür gesorgt, daß die Radikalität des amerikanischen Pluralismus nicht zum Zuge kam. Ich möchte diese
Geschichte auf keinen Fall verharmlosen. Im Extremfall handelte es sich um rohe Gewalt, wie die besiegten Indianer und
hierher verschleppten schwarzen Sklaven bezeugen. Mehr zur
Mitte hin ließ es sich, wenn auch nicht in bezug auf die Rasse, so
doch auf Religion und ethnische Zugehörigkeit recht gut damit
leben. Eine Einwanderergesellschaft hieß die neuen Einwanderer willkommen oder machte jedenfalls Platz für sie, sie tolerierte ihre religiösen Überzeugungen und Riten mit einem
erheblich geringeren Widerstand als er andernorts die Regel war.
Nichtsdestoweniger lernten alle unsere Minderheiten, sich ruhig
zu verhalten. Bis vor kurzem kennzeichnete Zurückhaltung ihre
Politik. Nur sehr langsam fing man an zu begreifen, was es heißt,
unter Einwanderern zu leben.

Ich erinnere mich etwa, wie in den dreißiger und vierziger
Jahren jedes Anzeichen selbstbewußten jüdischen Auftretens –
schon wenn vermeintlich »zu viele Juden« unter *New Deal*-De-
mokraten, Gewerkschaftern, sozialistischen oder kommunistischen Intellektuellen in Erscheinung traten – bei Juden kollektives Schaudern auslöste. Die Gemeindevorsteher sagten »Psst!«,
bloß keinen Lärm, bloß keine Aufmerksamkeit erregen; schiebt
euch nicht in den Vordergrund; haltet keine provozierenden
Reden. Auf die Weise verstanden sie den Rat, den der Prophet
Jeremias den ersten jüdischen Exilanten in Babylon vor über
zweitausend Jahren gegeben hatte und der seitdem häufig wie-

derholt worden war: »Bemüht euch um das Wohlergehen des Landes, in das ich euch weggeführt« (Jeremias 29, 7) – das heißt: Seid loyal den bestehenden Mächten gegenüber, und haltet euch weitgehend aus der Politik heraus. Jüdische Einwanderer betrachteten sich noch lange, nachdem sie amerikanische Staatsbürger geworden waren, als Exilanten, als Gäste der (wirklichen) Amerikaner.

Heute ist das alles Geschichte. Die Vereinigten Staaten der 1990er Jahre sind in sozialer, wenn auch nicht in ökonomischer Hinsicht egalitärer als vor fünfzig oder sechzig Jahren. Zwar ist die Kluft zwischen sozialer und ökonomischer Gleichheit von großer Bedeutung, und ich werde später noch darauf zurückkommen, doch zunächst möchte ich mich auf den sozialen Aspekt konzentrieren. Niemand rät uns zu schweigen, niemand ist eingeschüchtert und still. Alte rassische und religiöse Identitäten sind in der Öffentlichkeit sichtbarer und präsenter, zu dieser Mischung sind noch geschlechtliche und sexuelle Präferenzen hinzugekommen, und die gegenwärtige Einwanderungswelle aus Asien und Lateinamerika sorgt für bedeutende neue Unterschiede unter Amerikas jetzigen und potentiellen Bürgern. Wie es scheint, tritt all das jederzeit vernehmlich zutage. Die Stimmen sind laut, die Akzente vielfältig und das Ergebnis gewiß nicht harmonisch, wie in dem alten Bild vom Pluralismus als einer Symphonie, in der jede Gruppe ihr eigenes Instrument spielt (und wer schrieb die Musik dazu?), was dabei herauskommt, ist vielmehr eine schrille Dissonanz. So etwa werden die Meinungsverschiedenheiten der Protestanten in den frühen Jahren der Reformation geklungen haben, die Sekten sprießen, um sich wieder in neue Sekten zu spalten, viele Propheten und Möchtegernpropheten ergreifen gleichzeitig das Wort. Eben deshalb ist Toleranz ein so zentrales politisches Thema, es kommt in den lautstarken Streitigkeiten über politische Korrektheit, in Hetzreden, in multikulturellen Lehrplänen, in der Frage der ersten und zweiten Sprache, der Einwanderung usw. zum Ausdruck.

Als Antwort auf diese Kakophonie ringen andere Gruppen von Propheten, liberale und neokonservative Intellektuelle, Akademiker und Journalisten, die Hände und versichern uns, daß das Land zerfällt, daß unser heftig artikulierter Pluralismus die Nation auf unheilvolle Weise spaltet, und daß wir unbedingt die Vorherrschaft einer einzigen Kultur zurückgewinnen müßten. Bemerkenswerterweise wird diese angeblich unverzichtbare und notwendig singuläre Kultur oft als Hochkultur bezeichnet, als wäre es unsere gemeinsame Liebe zu Shakespeare, Dickens und James Joyce gewesen, die uns all diese Jahre zusammengehalten hätte. Dabei dürfte das Gegenteil wahr sein, die Hochkultur spaltet uns, wie seit je, in verschiedene Lager, und vermutlich wird sich das auch zukünftig in jedem Land abspielen, das einen stark egalitären und populistischen Zug hat. Ist Richard Hofstadters Buch *Anti-Intellectualism in American Life* denn völlig in Vergessenheit geraten?[1] Politische Bewegungen, die alle hinter ihren Fahnen versammeln wollen, werden sehr wahrscheinlich eine vulgäre und unechte Bodenständigkeit beschwören, deren kultureller Gehalt mit Sicherheit banal ist. Solche Bewegungen appellieren gewiß nicht an den literarischen und philosophischen Kanon. Doch wie mir scheint, steht uns eine bessere Reaktion auf den Pluralismus zur Verfügung: nämlich eine demokratische Politik, bei der alle Mitglieder sämtlicher Gruppen (im Prinzip) gleichberechtigte Bürger sind, die nicht nur Argumente austauschen, sondern auch irgendwie eine Übereinkunft erzielen müssen. Was sie im Verlaufe dieser unerläßlichen Verhandlungen und zu schließenden Kompromisse lernen, ist vielleicht wichtiger als alles, was sie aus dem Studium des klassischen Kanons gewönnen. Wir haben die Aufgabe, uns darüber Gedanken zu machen, wie dieser praktische demokratische Lernprozeß zu fördern ist.

Doch sollten wir angesichts der multikulturellen Konflikte, die sich auf demokratischem Schauplatz zutragen und von ihren Protagonisten ein beträchtliches Maß an demokratischen Fähigkeiten und demokratischem Auftreten verlangen, nicht behaupten dürfen, daß dieser Lernprozeß bereits große Fortschritte gemacht hat? Erforscht man die Geschichte der ethnischen, rassischen und religiösen Vereinigungen in den Vereinigten Staaten, so wird man, wie ich glaube, erkennen, daß sie immer wieder trotz oder vielleicht auch wegen der von ihnen ausgelösten politischen Konflikte als Motor für die Integration der einzelnen und der Gruppe gedient haben.[2] Selbst wenn Ziel und Zweck des Vereinslebens darin bestehen, die Differenz aufrechtzuerhalten, so läßt sich dieses Ziel doch nur unter amerikanischen Bedingungen realisieren, und was dabei herauskommt ist für gewöhnlich eine neue und unbeabsichtigte Art der Differenzierung. Ein Beispiel für dieses Phänomen habe ich bereits angeführt: Amerikanische Katholiken und Juden unterscheiden sich nicht so sehr voneinander oder von der protestantischen Mehrheit als vielmehr von den Katholiken und Juden anderer Länder. Minderheiten passen sich der politischen Kultur vor Ort an: Sie werden Amerikaner mit einem Bindestrich. Auch wenn ihr oberstes Ziel Selbstverteidigung, Toleranz, Bürgerrechte und ein Platz an der Sonne ist, wird am Ergebnis ihres Erfolges offenbar, daß am Ende eine deutliche Amerikanisierung aller verteidigten Differenzen stattgefunden hat.

Die gleiche Erfahrung machen jedoch auch die Gruppen der Mehrheit oder der »Alteingesessenen«: Sie müssen sich an ein Amerika anpassen, das von Fremden erfüllt ist. Sie, die sich als ursprüngliche Amerikaner betrachten, haben sich ebenfalls langsam und schmerzvoll zu amerikanisieren. Ich will keineswegs behaupten, daß die Differenzen stillschweigend akzeptiert oder nur leise verteidigt werden. Leisetreterei gehört nicht zu unseren politischen Gepflogenheiten. Amerikaner zu werden heißt häufig lernen, die Stimme zu erheben. Auch ist es nicht so, daß der von einer Gruppe angestrebte Erfolg immer mit dem Erfolg aller (oder einer) anderen Gruppe vereinbar ist. Die Konflikte sind keine Scheingefechte, und selbst kleine Siege können bedrohlich sein. Dieser Punkt kann nicht oft genug betont werden: Toleranz macht ein Ende mit Verfolgung und Angst, aber sie ist kein Rezept für soziale Harmonie. Die neu tolerierten Gruppen werden sich, sofern sie wirklich verschieden sind, oft genug als Gegner gegenüberstehen und versuchen, politische Vorteile zu erringen.

Heftigere Probleme ergeben sich hingegen aus Benachteiligung und Mißerfolgen, vor allem wenn sie sich wiederholen. Denn was die Menschen auf gefährliche Weise trennt und neue Formen von Intoleranz und Bigotterie schafft, wie etwa die schärferen und puritanischen Versionen der »politischen Korrektheit« und die eher abstrusen Behauptungen ethnischer und rassischer Mythologien, resultiert aus der Schwäche der Vereinigungen und den damit einhergehenden Ängsten und Ressentiments. Die lautstärksten Gruppen in unserer heutigen Kakophonie und jene, die die extremen Forderungen aufstellen, sind auch die schwächsten und die ärmsten. In den amerikanischen Städten von heute fällt es den Armen, die meistens auch Minderheiten angehören, schwer, auf sinnvolle Weise zusammenzuarbeiten. Gegenseitige Hilfe, die Bewahrung der Kultur und Selbstverteidigung werden mit viel Lärm eingeklagt, aber nur mit geringem Erfolg durchgesetzt. Die heutigen Armen haben keine Institutionen mit solider Basis, keine vollen Kassen, um ihre Kräfte zu konzentrieren oder abtrünnige Mitglieder zu disziplinieren. Sie sind sozial exponiert und verwundbar.

Die Entwicklung in den Vereinigten Staaten während der letzten Jahrzehnte ist sowohl unerwartet als auch beunruhigend, aber wer weiß, vielleicht ist sie auch, was dann allerdings zu begründen wäre, ermutigend. Obwohl die soziale Kluft sich verringert hat, ist die ökonomische Kluft gewachsen: Die ungleiche Verteilung von Einkommen und Ressourcen ist heute krasser als vor fünfzig Jahren. Doch läßt sie im unteren Viertel oder Fünftel der sozialen Rangordnung nicht das »richtige« Bewußtsein entstehen, die geistige Reflexion der Niederlage: Resignation und Unterwerfung. Es gibt keine allgemeine Kultur der Unterwürfigkeit, keine Gruppe von Leuten, die moralisch bereit sind, sich klaglos in ihr Schicksal zu schicken, wie die »ehrbaren« Armen einer, wie es scheint, längst vergangenen Zeit. Oder wenn es sie doch geben sollte, dann führt sie mehr denn je ein Schattendasein, ist kulturell wie politisch ohne Stimme und Repräsentation. Was wir erleben, ist sicherlich deprimierend genug: Eine große Menge isolierter, ohnmächtiger, oft auch demoralisierter Männer und Frauen lassen es sich gefallen, daß eine wachsende Kohorte rassistischer und religiöser Demagogen und windige Charismatiker sich zu ihren Sprechern aufwerfen und sie nicht selten ausbeuten. Aber immerhin sind sie nicht stumm, zerstört oder gebrochen, so daß man den Eindruck gewinnt, wenigstens einige von ihnen könnten in einer anderen politischen Umgebung für aussichtsreichere Kampagnen gewonnen werden.

Doch ist die politische Umgebung nun einmal wie sie ist, und sie flößt für die nahe Zukunft wenig Hoffnung ein. Die Vereinigungen im heutigen Amerika fristen im allgemeinen, wenn auch nicht durchgehend, ein eher dürftiges Dasein, und jedes Programm für eine politische Erneuerung muß von dieser Realität ausgehen. Gewerkschaften, Kirchen, Interessenverbände, ethnische Organisationen, politische Parteien und Splittergruppen, Gesellschaften für eine moralische Erneuerung und Wohltätigkeit, lokale Caritasvereine, Nachbarschaftsclubs, religiöse Bruderschaften, Frauen- und Männerverbände: Amerikas Zivilgesellschaft bietet ein wunderbar farbiges Bild. Doch ist die Situation der meisten Vereinigungen sehr prekär, sie leiden unter notorischem Geldmangel und sind stets von Auflösung bedroht. Ihre Reichweite und Integrationskraft ist nicht mehr, was sie einmal war.[3] Die Zahl der Amerikaner, die unorganisiert sind, sich in keiner Vereinigung engagieren und kein institutionelles Sprachrohr haben, obwohl sie durchaus zornig und vernehmbar sind, wächst stetig. Wie erklärt sich das?

Die Antwort ist zum Teil in der zweiten der beiden Zentrifugalkräfte zu suchen, die im heutigen Amerika am Werk sind. Dieses Land beherbergt nicht nur eine Pluralität von Gruppen, sondern auch eine Pluralität von Individuen. Wie wir sahen, stehen im Mittelpunkt eines Systems der Toleranz eher persönliche Entscheidungen und Lebensstile als kollektive Lebensformen. Vielleicht ist Amerika die individualistischste Gesellschaft, die es bislang in der Geschichte der Menschheit gegeben hat. Verglichen mit den Männern und Frauen aller früheren Länder der Alten Welt sind wir radikal befreit. Wir sind frei, unsere eigenen Wege zu gehen, unser eigenes Leben zu planen, uns für eine berufliche Karriere zu entscheiden, für einen Partner – oder eine Abfolge von Partnern –, für eine Religion – oder auch keine –, für eine Politik oder Antipolitik, für einen (beliebigen) Lebensstil, kurz: wir sind frei, »unser eigenes Ding zu machen«. Persönliche Freiheit und die damit verbundenen radikalen Formen der Toleranz sind gewiß die größten Leistungen der »new order of the ages«, die auf dem großen Staatssiegel der Vereinigten Staaten verkündet wird. Die Verteidigung dieser Freiheit gegen Puritaner und Frömmler gehört zu den immer wiederkehrenden Themen in der amerikanischen Politik und sorgt für ihre Sternstunden; aus unserer Literatur ist das Feiern dieser Freiheit und der durch sie ermöglichten Individualität und Kreativität nicht wegzudenken.

Nichtsdestoweniger ist persönliche Freiheit kein reines Vergnügen, denn vielen Amerikanern gebricht es an den Mitteln und der Kraft, »ihr eigenes Ding zu machen«, oder auch nur zu entdecken, worin es bestehen könnte. Über die dafür nötigen Fähigkeiten und Mittel zu verfügen ist aber eher eine Leistung der Familien, der Klasse oder der Gemeinschaft als des Individuums. Ressourcen müssen von Generationen in gemeinsamer Anstrengung akkumuliert werden. Ohne Ressourcen werden einzelne Männer und Frauen von wirtschaftlichen Umbrüchen, Naturkatastrophen, Versagen der Regierung und persönlichen

Krisen hart getroffen. Sie können sich nicht darauf verlassen, daß ihre Familien oder Gemeinschaften sie dauerhaft oder in größerem Umfang unterstützten. Oftmals haben sie sich von ihrer Familie, ihrer Klasse, ihrer Gemeinschaft losgesagt, um ein neues Leben, eine neue Identität in dieser neuen Welt zu finden. Wenn es ihnen gelingt, alle Brücken hinter sich abzureißen, schauen sie nie wieder zurück. Sollten sie dann einmal doch zurückblicken müssen, werden sie entdecken, daß die Leute, die sie zurückgelassen haben, kaum für sich sorgen können. So sehen die erregenden Abenteuer der Postmoderne aus, aber oft produzieren sie eine traurige Geschichte, oder besser noch, eine Reihe ähnlicher, aber nebeneinander herlaufender trauriger Geschichten.

Betrachten wir kurz die kulturellen (ethnischen, rassischen und religiösen) Gruppen, die unseren angeblich wildgewordenen und spalterischen Multikulturalismus ausmachen. Bei ihnen allen handelt es sich um freiwillige Vereinigungen mit einem Kern von Militanten, Aktivisten und Gläubigen und einem weiten Dunstkreis eher passiver Männer und Frauen, die praktisch kulturelle Trittbrettfahrer sind. Die Leute nehmen eine Identität (oder mehr als eine) in Anspruch, ohne dafür Geld, Zeit und Energie zu opfern. Wenn sie in Schwierigkeiten sind, suchen sie Unterstützung bei Männern und Frauen mit einer ähnlichen Identität. Ob sie aber Hilfe bekommen, ist unsicher, denn diese Identitäten sind meistens unverdient, ohne jede Tiefe. Ungebundene Individuen sind keine Mitglieder, auf die man zählen kann. Unsere kulturellen Gruppen sind nicht von Grenzen umgeben, und natürlich gibt es keine Grenzpolizei. Männern und Frauen steht es ganz nach ihrem Gutdünken frei, teilzunehmen oder nicht, sie können kommen und gehen, sich ganz entziehen oder sich einfach in den Dunstkreis zurückziehen. Es steht ihnen frei, sich unter die anderen Kulturen zu mischen, alle möglichen Grenzen zu erforschen und zu hinterfragen. Auch diese Freiheit gehört zu den Vorzügen einer Einwanderungsgesellschaft; zugleich aber ist sie dafür verantwortlich, daß sich keine starken oder verbindlichen Vereinigungen ausbilden. Und ich frage mich, ob sie nicht letztlich auch verhindert, daß starke und selbstbewußte Individuen heranwachsen.

Heutzutage sagen sich derart viele Menschen von kulturellen Vereinigungen und einer bestimmten Identität los, um sich privat auf die Jagd nach dem Glück zu begeben – oder auch nur um ihres schieren wirtschaftlichen Überleben willens –, daß alle Gruppen sich darum sorgen, wie sie einem völligen Abbrechen der Ränder entgegenwirken können, um noch eine Zukunft zu haben. Unaufhörlich sammeln sie Gelder, werben Mitglieder, jagen nach Helfern, Verbündeten und Bestätigungen, predigen gegen die Gefahren der Assimilation, der Mischehen, des Niedergangs oder der Passivität. Da sie keinerlei Zwangsmittel haben und der Kraft ihrer Überzeugungen nicht mehr ganz trauen, rufen einige dieser Gruppen nach Regierungsprogrammen (nach zweckgerichteten Zuwendungen oder Quotensystemen), mit deren Hilfe sie ihre eigenen Mitglieder auf Linie bringen können. Aus ihrer Sicht ist die wirkliche Alternative zur multikulturellen Toleranz kein starker und substantieller »Amerikanismus«, gleichsam als wäre Amerika ein Nationalstaat der alten Welt, sondern ein leerer oder beliebig ausgefüllter Individualismus, bei dem die Menschen nur noch wie Treibgut von jedem schöpferischen Zentrum abdriften.

Das ist, um es noch einmal zu sagen, eine einseitige Auffassung der individuellen Freiheit in der Einwanderungsgesellschaft, aber dennoch ist etwas Wahres daran. Auch wenn es den Anschein haben mag, spielt sich der kritische Konflikt, der das Leben im heutigen Amerika beherrscht, nicht zwischen dem Pluralismus einerseits und irgendeiner Art kultureller Hegemonie oder Geschlossenheit andererseits ab, er besteht nicht zwischen Pluralismus und Einheit oder den Vielen und dem Einen. Unser Leben wird vielmehr bestimmt von dem spezifisch modernen und postmodernen Konflikt zwischen der Vielheit der

Gruppen und Individuen. Und in diesem Konflikt haben wir gar keine andere Wahl als den Wert beider Seiten zu bejahen. Die beiden Pluralismen machen Amerika zu dem, was es ist oder doch manchmal ist, und sie geben das Muster dafür vor, was es sein sollte. Dann und nur dann, wenn man sie zusammennimmt, sind sie damit vereinbar, daß die Menschen sich als gemeinsame Bürger eines demokratischen Staates verstehen.

Betrachten wir vor diesem Hintergrund die zunehmend isolierten Individuen der heutigen amerikanischen Gesellschaft. Ohne Zweifel sollten wir uns über die Prozesse Sorgen machen, die zu dieser Isolierung führen, wie auch über ihre Resultate, (daß einige dieser Prozesse auch emanzipatorisch sind, kann die Unruhe nicht dämpfen):[4]

- die hohe Scheidungsrate, die bis vor kurzem noch immer weiter anstieg, und sich nun eingependelt zu haben scheint;
- die ständig wachsende Anzahl von Kindern, die von nur einem Elternteil erzogen wird, oft von erschreckend jungen Müttern;
- die sich häufenden Berichte über mißhandelte oder ausgesetzte Kinder;
- die wachsende Anzahl alleinlebender Personen (von Ein-Personen-Haushalten, wie es in Statistiken heißt);
- die schwindenden Mitgliederzahlen – bei den Gewerkschaften, den älteren, etablierteren Kirchen (denn evangelikale Kirchen und Sekten sind auf dem Vormarsch), in Wohltätigkeitsvereinen, in Lehrer- und Elternorganisationen und Nachbarschaftsvereinen;
- das langfristige Sinken der Wahlbeteiligung und der Parteienbindung (das sich vielleicht am drastischsten bei Kommunalwahlen zeigt);
- die hohe Mobilitätsrate, die keine nachbarschaftlichen Bande entstehen läßt;
- das plötzliche Auftreten obdachloser Männer und Frauen; und
- die zunehmende Welle zielloser Gewalt.

Das offensichtliche Anhalten hoher Arbeitslosigkeit und Unterbeschäftigung unter jungen Leuten und Minderheiten verstärkt alle diese Prozesse und verschärft ihre Folgen. Arbeitslosigkeit läßt Familienbande brüchig werden, trennt die Betroffenen von Gewerkschaften und Interessengruppen, erschöpft die Mittel der Gemeinschaft, führt zu politischer Entfremdung, zum Rückzug ins Private und macht ein kriminelles Leben verlockender. Das alte Sprichwort, Müßiggang sei aller Laster Anfang, muß nicht notwendig richtig sein, aber es wird wahr, wenn der Müßiggang von niemandem freiwillig gewählt wurde.

Ich bin geneigt zu meinen, diese Prozesse sind im großen und ganzen beunruhigender als die multikulturelle Kakophonie, und sei es auch nur, weil es für eine demokratische Gesellschaft besser ist, wenn die Leute aktiv sind, statt sich in die Isolation zurückzuziehen, weil laut geäußerte Empörung besser als Nichtstun ist und gemeinsame Zwecke – auch wenn wir sie nicht billigen – besser sind als privates Desinteresse. Vermutlich stimmt es zudem, daß viele dieser isolierten Individuen für eine rechtsextreme, ultranationalistische, fundamentalistische oder fremdenfeindliche Mobilisierung von der Art empfänglich sind, wie sie Demokratien, sofern sie dazu in der Lage sind, unbedingt verhindern sollten. Natürlich gibt es heute auch Autoren, die behaupten, der Multikulturalismus sei selbst das Ergebnis einer solchen Mobilisierung. Glaubt man ihnen, dann drohte der amerikanischen Gesellschaft nicht nur ein Zerfall, sie stünde auch am Rande eines Bürgerkrieges »à la Bosnien«.[5] In Wirklichkeit konnten wir bislang nur schwache Anzeichen einer offen chauvinistischen und rassistischen Politik beobachten. Mehr Amerikaner hängen befremdlichen religiösen Kulten an als einer rechtsextremen Politik, obwohl sich beides manchmal überschneidet. Noch befinden wir uns an einem Punkt, an dem es uns gelingen könnte, den Pluralismus der Gruppen zur Rettung des Pluralismus isolierter Individuen herbeizurufen.

Individuen sind stärker, zuversichtlicher und gewitzter, wenn sie an einem Gemeinschaftsleben teilnehmen, wenn sie für andere verantwortlich sind. Diese Beziehung gilt aber nicht für jedes Gemeinschaftsleben; ich möchte keineswegs ausgefallene religiöse Kulte empfehlen, obwohl sie selbstverständlich auch innerhalb der Grenzen toleriert werden sollten, die sich aus unseren Vorstellungen über Bürgerschaft und individuelle Rechte ergeben. Möglicherweise gehen die Männer und Frauen, die sich nach einer gewissen Zeit von diesen Gruppen wieder lösen, aus dieser Erfahrung gestärkt hervor, so daß sie nun zu einer bescheideneren Gemeinschaftlichkeit imstande sind. Denn nur, wenn sie sich in der einen oder anderen Vereinigung engagieren, lernen Individuen, zu überlegen, miteinander zu verhandeln, Entscheidungen zu treffen und Verantwortung zu übernehmen. Dieses Argument ist schon alt, zum ersten Mal hat man die protestantischen Gemeinden und Konventikeln dafür gerühmt, sie seien im England des 19. Jahrhunderts eine Schule der Demokratie gewesen, trotz der intensiven und exklusiven Bindungen, die sie schufen, und obwohl sie oft unverhohlen ihre Zweifel am künftigen Seelenheil der Ungläubigen äußerten.[6] Die Individuen fanden in der Tat Heil und Rettung im Gemeindeleben – sie wurden vor Vereinzelung, vor Einsamkeit, Minderwertigkeitsgefühlen, Lethargie, Unwissenheit und einer Art moralischer Leere gerettet – und wurden so zu nützlichen Bürgern. Nicht minder wahr ist jedoch, daß England vor einer protestantischen Repression durch den starken Individualismus derselben nützlichen Bürger gerettet wurde: Das war nicht zuletzt ein großer Teil ihrer Nützlichkeit.

Freilich läßt sich kein System der Toleranz allein auf solchen »starken« Individuen gründen, denn sie sind die Produkte des Gruppenlebens und werden nicht aus eigenem Antrieb die Verbindungen reproduzieren, denen sie ihre Stärke verdankten. Daher müssen wir die Bande der Vereinigungen bewahren und stärken, unbeschadet der Tatsache, daß diese Bande einige von uns mit einigen anderen verbinden und nicht jeden mit jedem. Das läßt sich auf verschiedenen Wegen erreichen. Zunächst und in erster Linie wären Maßnahmen der Regierung erforderlich, um neue Arbeitsplätze zu schaffen und eine gewerkschaftliche Organisierung am Arbeitsplatz zu fördern und zu unterstützen. Denn einiges weist darauf hin, daß Arbeitslosigkeit die gefährlichste Form des Zerfalls ist, und Gewerkschaften sind nicht nur eine gute Trainingsstätte für demokratische Politik, sondern auch ein Instrument der »ausgleichenden Gegenmacht« in der Wirtschaft wie auch der lokalen Solidarität und gegenseitiger Hilfe.[7] Beinahe ebenso wichtig sind Programme, die das Familienleben stärken, und nicht nur die konventionellen Formen der Familie, sondern auch die unkonventionellen, das heißt, zu fördern wäre jede Version, die stabile Beziehungen und soziale Netzwerke hervorbringt.

Ich möchte mich aber noch einmal den kulturellen Vereinigungen zuwenden, sind sie es doch, die heute als besonders bedrohlich angesehen werden. Mit scheint, als ginge von ihrer Schwächung, nicht von der Stärke dieser Vereinigungen eine Gefahr für unser gemeinsames Leben aus. Ein Grund für den Niedergang der Gewerkschaften im heutigen Amerika ist das praktische Verschwinden einer eigenständigen Kultur der Arbeiterklasse oder vielmehr verschiedener Arbeiterkulturen (der irischen, italienischen, slawischen, skandinavischen usw.), die die radikalen Arbeiterbewegungen des späten 19. und frühen 20. Jahrhunderts erst möglich machten. Wenn Männer und Frauen über einen längeren Zeitraum zusammenarbeiten sollen, dann brauchen sie die Bande, die sie durch eine gemeinsame Sprache und Erinnerung knüpfen, durch vertraute Fest- und Trauerrituale, durch gemeinsame Bräuche, ja auch durch gemeinsame Spiele und Lieder. Wohl schafft die Zivilreligion einige dieser Bande für die Gesamtheit der Bürger, doch Vitalität und Bildung einer Einwanderungsgesellschaft hängen von den innigeren Verbindungen ab, die allein die sie bildende Gruppen herstellen können. Wir brauchen daher mehr und nicht weniger kulturelle Vereinigungen, auch müssen sie kraftvoller und bindender sein und eine große Bandbreite von Verantwortlichkeiten ausüben.

Vereinigungen dieser Art sind nicht Gegenstand der Toleranz in Einwanderungsgesellschaften, doch kann man sie dazu machen, oder besser noch, man kann dies zu einem Ziel der Regierungspolitik machen. Nehmen wir beispielsweise die gegenwärtigen Bundesprogramme – einschließlich Steuervergünstigungen, Ausgleichszahlungen, Subventionen und Rechtstitel –, mit deren Hilfe religiöse Gemeinschaften in die Lage versetzt werden, ihre eigenen Krankenhäuser, Altenheime, Schulen, Kinderhorte und Familieneinrichtungen zu unterhalten. Hier sehen wir Wohlfahrtseinrichtungen innerhalb eines dezentralisierten – und noch keineswegs vollendeten – amerikanischen Wohlfahrtsstaates. Mittels Steuergeldern werden karitative Einrichtungen auf eine Weise unterstützt, daß sie das Muster gegenseitiger Hilfe und kultureller Reproduktion verstärken, das sich spontan in der Zivilgesellschaft abzeichnet. Wir müssen jedoch dafür sorgen, daß dieses Muster sehr viel flächendeckender wird, denn bislang sprenkelt es die Landschaft noch sehr ungleich. Auch wäre es wichtig, mehr Gruppen dazu zu bewegen, Wohlfahrtseinrichtungen auf die Beine zu stellen: rassische und ethnische Gruppen ebenso wie religiöse, und warum nicht auch Gewerkschaften, Genossenschaften und Konzerne?

Eine weitere dringende Aufgabe wäre es, zusätzliche Programme aufzustellen, mit deren Hilfe die Regierung indirekt darauf einwirkt, daß Bürger, die sich unmittelbar in lokalen Gemeinschaften engagieren, unterstützt werden: Zu denken wäre hier etwa an »Schulen in freier Trägerschaft«[8], die von Eltern und Lehrern organisiert und geleitet werden; an Mieterselbstverwaltungen, an die Übernahme von Sozialwohnungen durch Genossenschaften; Experimente, bei denen die Arbeiter die Fabriken und Betriebe besitzen und leiten, lokale Projekte für Wohnungsbau, Straßenreinigung und Verbrechensprävention, kommunale Museen, Jugendzentren, Radiosender und Sportvereine. Derartige Programme werden häufig auf ihre Interessen bedachte Gemeinschaften schaffen und vergrößern, und daraus werden sich unvermeidlich Konflikte um staatliche Geldtöpfe und lokale Streitigkeiten um die Kontrolle des politischen Raums und der institutionellen Aufgaben ergeben. Man darf nie vergessen, daß Toleranz kein Rezept für Harmonie ist: Sie erkennt zuvor unterdrückte oder unsichtbare Gruppen an und befähigt sie so, um die verfügbaren Ressourcen zu konkurrieren. Die Präsenz durchsetzungsfähiger Gruppen wird jedoch auch mehr politische Räume schaffen und die Zahl und Bandbreite institutioneller Aufgaben erweitern, was wiederum den Individuen mehr Gelegenheiten zur Partizipation gibt. Individuen, die aktiv partizipieren und dabei zunehmend erfahren, daß sie etwas bewirken können, sind unser bester Schutz gegen die Engstirnigkeit und Intoleranz der Gruppen, in denen sie mitarbeiten.

Engagierte Männer und Frauen neigen dazu, sich um mehr als eine Sache zu kümmern, sich aktiv in vielen verschiedenen Vereinigungen, sowohl auf lokaler als auch auf Landesebene, einzusetzen. Diese Politologen und Soziologen wohl bekannte Tatsache ist ziemlich überraschend, denn, so fragt man sich, wo nehmen diese Leute nur die Zeit dafür her?[9] Sie hilft zudem zu erklären, warum Engagement in einer pluralistischen Gesellschaft die positive Wirkung hat, daß rassistische und chauvinistische Einstellungen und Ideologien politisch nicht zum Tragen kommen. Denn die immer gleichen Leute finden sich auf Gewerkschaftsversammlungen, bei Stadtteilprojekten, Wahlkampfveranstaltungen, in Gemeindekomitees und – vor allem darauf kann man sich verlassen – in den Wahlkabinen ein. Die meisten von ihnen sind redegewandt, hartnäckig, geschickt, selbstsicher und in ihren Einstellungen ziemlich beständig. Irgendeine mysteriöse Verbindung von Verantwortung, Ehrgeiz und dem Drang, überall mitzumischen, treibt sie von Versammlung zu Versammlung. Jeder klagt darüber – jeder aus diesem Kreis, versteht sich –, daß sie nur so wenige sind. Ist ihr kleiner Kreis eine unvermeidliche Folge des sozialen Lebens, so daß mehr Vereinigungen nur dazu führen würden, die kompetenten Leute auf noch mehr Vereinigungen zu verteilen? Ich vermute, daß Ökonomen, die sich mit Problemen der Nachfrage beschäftigt haben, eine positivere Geschichte dieses »Humankapitals« erzählen könnten: Man erhöhe den Bedarf an kompetenten Leuten, und sie werden sich einfinden. Man erhöhe die Gelegenheiten für gemeinsame Aktionen, und die Aktivisten werden auftreten und sich die Gelegenheiten nicht entgehen lassen. Einige von ihnen werden zweifellos engstirnig und bigott sein, an nichts weiter interessiert als daran, ihre eigene Gruppe voranzubringen, doch je größer ihre Zahl und je weiter gestreut ihre Aktivitäten, um so unwahrscheinlicher ist es, daß Engstirnigkeit und Bigotterie das letzte Wort haben.

Vielleicht werden wir eines Tages zu der Erkenntnis kommen, daß eine gewisse Art von rabiater Streitbarkeit ein Merkmal dessen ist, was wir dann als *frühen* Multikulturalismus bezeichnen könnten; ganz deutlich ist dies vor allem bei den neuesten und schwächsten, den ärmsten und am schlechtesten organisierten Gruppen, bei denen sich die ökonomische Benachteiligung mit ihrem Minderheitenstatus verbindet und die Klassenzugehörigkeit zwar nicht völlig, aber doch zu einem großen Teil von Rasse und Kultur abhängig ist. Diese Streitbarkeit ist das Produkt einer historischen Epoche, in der die von unserem System der Toleranz verheißene und zum Teil auch verwirklichte soziale Gleichheit ständig von der ökonomischen Ungleichheit untergraben wird.

Einflußreichere Organisationen, die in der Lage sind, die nötigen Mittel aufzubringen, um ihren Mitgliedern wirkliche Vorteile zu bieten, werden diese Gruppen nach und nach zu gegenseitiger Toleranz führen und zu einer demokratischen Politik, die keine Ausgrenzungen vornimmt. Unleugbar gibt es eine Spannung zwischen Mitgliedern und Bürgern, zwischen Gruppeninteressen und dem Wohl aller, doch existiert auch eine Kontinuität zwischen diesen beiden Polen. Bürger, die sich dem Gemeinwohl verpflichtet fühlen, kommen nicht aus dem Nichts. Sie gehören Gruppen an, die spüren, daß ihnen das Land als Ganzes am Herzen liegen sollte, in erster Linie natürlich wegen des Systems der Toleranz selbst, dann aber auch wegen seiner größeren politischen Ziele. Deshalb werden sie danach streben, an nationalen Entscheidungsprozessen zu partizipieren.

Wie man sich erinnern wird, hat es diese Entwicklung schon einmal gegeben, nämlich bei ethnischen Konflikten und Klassenauseinandersetzungen. Wenn Gruppen sich konsolidieren, gelingt es dem Zentrum, die Peripherie an sich zu binden und in eine politische Gefolgschaft zu verwandeln. Ein Beispiel wären Gewerkschafter, die ihre Karriere als Streikposten und in Streikkomitees beginnen, und sich später in Schulausschüssen und im Stadtrat engagieren. So wäre auch denkbar, daß religiöse und ethnische Aktivisten zunächst die Interessen ihrer eigenen Gemeinschaft vertreten und sich dann in politischen Koalitionen wiederfinden, um sich einen Platz auf einer »ausgewogenen« Wahlliste zu erkämpfen und (zumindest) über das Gemeinwohl zu reden. Der Zusammenhalt der Gruppe stärkt das Selbstbewußtsein ihrer Mitglieder, während der Ehrgeiz und die Wendigkeit ihrer tatkräftigsten Mitglieder die Gruppe liberalisiert.

Einige dieser Mitglieder werden aus ihren Gruppen ausbrechen, sich anderen anschließen oder irgendwie zwischen den Kulturen pendeln. Sie werden jede Chance zum Abschütteln der Gemeinschaftsbande und zur kulturellen Promiskuität nutzen. Sie werden als radikal freie Individuen agieren, die ihre eigenen materiellen oder geistigen Interessen verfolgen. Handeln sie hingegen vor dem Hintergrund einer kräftigen Gruppenidentität, dann werden sie auch zu Trägern kultureller Innovation und des Lernens voneinander werden. Wenn sie die Kommunikation nicht ganz einstellen, sondern weiter mit Gruppenangehörigen und anderen Bürgern zusammenleben, werden die postmodernen Wanderer zwischen den Welten kaum in die Situation kommen, daß sie, unendlich in ihr eigenes Ich vertieft, nur noch Selbstgespräche führen. Sie werden interessante Gesprächsteilnehmer sein.

Dieser Austausch sollte überall gepflegt werden, ganz besonders aber an den staatlichen Schulen (und an den sowohl staatlichen als auch privaten Colleges und Universitäten), die sich, zumindest in den Einwanderungszentren, seit jeher durch ihre Integrationsanstrengungen auszeichnen. Die staatlichen Schulen bringen die Kinder von Eltern unterschiedlicher religiöser und ethnischer Zugehörigkeit genauso zusammen wie die Kinder von Eltern, die sich aus solchen Bindungen bereits gelöst haben oder dabei sind, sich zu lösen. Da sie selber gegenüber den verschiedenen Gruppen und den Mitgliedern, die sich von ihnen emanzipiert haben, Neutralität zu wahren haben, müssen die Schulen für eine affirmative Darstellung der Geschichte und Philosophie unseres eigenen Toleranzsystems sorgen. Diese Darstellung wird kaum umhin können, auf ihre eigenen besonderen, nämlich englisch-protestantischen Entstehungsbedingungen zu reflektieren. Die Schulen müssen die amerikanische Zivilreligion lehren und amerikanische Staatsbürger heranbilden. Auf diese Weise werden sie unvermeidlich kulturelle Gruppen zum Widerspruch herausfordern, denen eine Staatsbürgerschaft in diesem Sinn nicht vertraut ist.

Soll man vom öffentlichen Schulsystem mehr erwarten? Sollte es Kindern zur Flucht aus solchen Gemeinschaften raten, dazu, sich auf eigenen Beinen durch das kulturelle Universum zu schlagen? Sollte es darauf aus sein, mehr Wanderer zwischen den Welten zu produzieren? Gewiß, es ist eine große Versuchung, sich eine demokratische Erziehung als Einübung in kritisches Denken vorzustellen, so daß die Schüler zu einer selbständigen, vorzugsweise skeptischen Beurteilung aller existenten Glaubenssysteme und kulturellen Praktiken befähigt würden. Wären kritische Bürger denn nicht die besten?[10] Vielleicht, jedenfalls bräuchten wir mehr von ihnen. Und trotzdem, sie sind möglicherweise nicht die tolerantesten Mitbürger. Sie werden die besonderen Bindungen ihrer Mitbürger vielleicht nicht einfach gelassen hinnehmen, sie werden sich nicht einmal stoisch mit ihnen abfinden. Solche Kritiker aber braucht die Demokratie, die die Tugend der Toleranz besitzen, und das bedeutet wahrscheinlich: Kritiker, die ihrerseits auch eigene Bindungen und einen Sinn für den Wert des Gemeinschaftslebens mitbringen. Diesem Bedürfnis können die Schulen einfach dadurch gerecht werden, daß sie die kulturelle Pluralität anerkennen und im Unterricht die verschiedenen Gruppen behandeln, und zwar durchaus auch unkritisch: Das Erleben der Differenz wird schon für einen kritischen Austausch sorgen. Das staatliche Schulwesen sollte nämlich noch ein zweites Erziehungsziel haben, das mit dem ersten ohne weiteres vereinbar ist. Es sollte Bürger mit Bindestrich-Identitäten heranziehen, Männer und Frauen, die sich einmal innerhalb ihrer jeweiligen Gemeinschaften für Toleranz starkmachen werden und dabei dennoch die Differenz hochhalten und tradieren, sie natürlich auch überdenken und kritisch revidieren.

Ich möchte hier keine Reden in der Art der berühmten Pollyanna schwingen[11]. Diese Ergebnisse werden sich nicht von ungefähr einstellen, vielleicht stellen sie sich überhaupt nicht ein. Alles gestaltet sich heute schwieriger: Die Familie, die Schichtenzugehörigkeit, die Gemeinschaft entwickeln geringere Bindekräfte als in der Vergangenheit. Die staatlichen Einrichtungen und die private Wohltätigkeit verfügen über geringere Mittel. Die Welt der Straße mit ihren Verbrechen und Drogen flößt mehr Angst ein, und die Individuen, Männer wie Frauen, wirken in einem höheren Grad vereinzelt. Es gibt noch eine andere Schwierigkeit, über die wir jedoch eher froh sein sollten. In der Vergangenheit gelang es organisierten Gruppen nur in dem Maß, zu einem Bestandteil des amerikanischen *mainstream* zu werden, in dem sie andere Gruppen (und die schwächsten ihrer eigenen Gruppe) mit dem Ellenbogen beiseite drängten. Und die unterlegenen Männer und Frauen fügten sich meistens in ihr

Schicksal oder erhoben jedenfalls kein großes Geschrei. Heute hingegen ist die Bereitschaft, sein Schicksal hinzunehmen, sehr viel geringer ausgeprägt, und mag auch viel von dem daraus folgenden Geschrei unzusammenhängend und müßig sein, so erinnert es doch uns übrige daran, daß gesellschaftlich noch etwas mehr auf der Tagesordnung steht als unser privater Erfolg. Der Multikulturalismus als Weltanschauung ist ein Programm für größere soziale und ökonomische Gleichheit. Kein Toleranzsystem wird in einer pluralistischen, modernen und postmodernen Einwanderungsgesellschaft auf die Dauer funktionieren, ohne daß es dieses beides irgendwie verbände: eine Verteidigung der Gruppendifferenzen und einen Angriff auf die Klassendifferenzen.

Wenn uns daran liegt, die beiden Werte Individuum und Gemeinschaft für das Allgemeinwohl einzuspannen, werden wir politisch handeln müssen, um sie dafür tauglich zu machen. Denn sie bedürfen einer Folie oder gewisser Rahmenbedingungen, für die allein staatliches Handeln sorgen kann. Das Gemeinschaftsleben wird die einzelnen Männer und Frauen nicht aus ihrer Isolation und Untätigkeit reißen, wenn nicht eine politische Strategie zur Förderung, Organisation und nötigenfalls auch Subventionierung der geeigneten Gruppen dahintersteht. Und ambitionierte Individuen werden den Umkreis ihrer Verpflichtungen nicht noch erweitern und ihrem Ehrgeiz höhere Ziele stecken, wenn diese größere Welt ihnen keine Chancen in Form von Stellen, politischen Ämtern und Verantwortung zu bieten hat. Die Zentrifugalkräfte Gruppenkultur und Egoismus werden sich nur dann wechselseitig korrigieren, wenn diese Korrektur auch geplant ist. Nötig wäre es, ein Gleichgewicht der beiden anzustreben. Daraus folgt, wir können nie einseitig Verteidiger des Multikulturalismus oder des Individualismus sein, wir können nie einfach Kommunitaristen oder Liberale oder Anhänger der Moderne bzw. der Postmoderne sein, sondern wir müssen bald dies, bald jenes sein, wie es das Gleichgewicht er-

fordert. Die beste Bezeichnung für das Gleichgewicht selbst –
die politische Überzeugung, welche jene Rahmenbedingungen
verteidigt, die nötigen Formen staatlichen Handelns unterstützt
und so die modernen Toleranzsysteme aufrechterhält – wäre
»Sozialdemokratie«. Wenn der Multikulturalismus heute von
mehr Problemen als Hoffnung begleitet ist, dann zum Teil wegen der Schwäche der Sozialdemokratie (oder, wie es hierzu-
lande heißt, des Linksliberalismus). Doch das ist eine andere
lange Geschichte.

ANMERKUNGEN

Einleitung: Wie über Toleranz zu schreiben ist

[1] Zu diesem Ansatz habe ich mich kritisch geäußert in »A Critique of Philosophical Conversation« in Michael Kelly (Hg.), *Hermeneutics and Critical Theory in Ethics and Politics*, Cambridge, Mass. 1990, S. 182–196. Vergleiche dazu auch Georgia Warnkes »Reply« in eben diesem Band S. 197–203, die eine modifizierte Verteidigung der Theorie von Jürgen Habermas vornimmt.

[2] Warum Bekenntnisse dieser Art von großer Bedeutung sind, führt Thomas Scanlon in »Contractualism and Utilitarianism« aus, enthalten in Amartya Sen und Bernard Williams (Hgg.), *Utilitarianism and Beyond*, Cambridge 1982, bes. S. 116.

[3] Stuart Hampshire, *Morality and Conflict*, Cambridge, Mass. 1983, S. 146 ff.

[4] Es mag hilfreich sein, schon zu Anfang die Beiträge zur Debatte anzuführen, die meine eigenen Gedanken dazu beeinflußt haben: John Higham, *Strangers in the Land: Patterns of American Nativism 1860–1925*, New Brunswick 2. Aufl. 1988; Orlando Patterson, *Ethnic Chauvinism: The Reactionary Impulse*, New York 1977; Stephen Steinberg, *The Ethnic Myth: Race, Ethnicity, and Class in America*, Boston 1981; Arthur M. Schlesinger Jr., *The Disuniting of America*, New York 1992; David Hollinger, *Postethnic America*, New York 1995; Todd Gitlin, *The Twilight of Common Dreams*, New York 1995 sowie Charles Taylor, *Multiculturalism and the »Politics of Recognition«*, Princeton 1994 (Dt.: Multikulturalismus und die Politik der Anerkennung, Frankfurt a. M. 1993). Taylor und seine Verteidigung der »weitreichenden Vielfalt« in Kanada hat meine Gedanken zu den Vereinigten Staaten entscheidend mitgeprägt.

I. Persönliche Haltungen und politische Arrangements

[1] Josef Raz, »Multiculturalism: A Liberal Perspective«, in *Dissent* (Winter 1994), S. 67–79.

[2] Die Erschöpfung und die durch sie ausgelösten Klugheitserwägungen werden am deutlichsten in der französischen Politik des 16. Jahrhunderts: siehe

dazu den kurzen Abriß in Quentin Skinner, *The Foundations of Modern Political Thought*, Bd. 2: *The Age of Reformation*, Cambridge 1978, S. 249–254.

[3] Viele Philosophen würden allein von dieser Einstellung meinen, sie verdiene den Namen Toleranz, eine Ansicht, die sicherlich einigen Verwendungsweisen des Wortes entspricht und ein gewisses Widerstreben einfängt, das gemeinhin der Praxis der Tolerierung zugeschrieben wird. Doch diese Interpretation wird in keiner Weise dem Enthusiasmus gerecht, der viele frühen Verfechtern der Toleranz auszeichnet. Vgl. David Heyd (Hg.), *Toleration: An Elusive Virtue*, Princeton 1996, insbesondere Heyds Einleitung und den Einführungsessay von Bernard Williams.

[4] Eine historische Darstellung, die das gesamte Spektrum der Einstellungen präsentiert, findet sich bei Wilbur K. Jordan, *The Development of Religious Toleration in England*, 4. Bde., Cambridge 1932–1940.

II. Fünf Systeme der Toleranz

[1] Frühestes Beispiel für das, was später als die wissenschaftliche Disziplin der Anthropologie auftreten sollte, waren das Werk von Beamten des römischen Reiches, so auch Laufbahn und Schriften des römischen Provinzverwalters Tacitus, wie Moses Hadas sie in seiner Einleitung zu *The Complete Works of Tacitus*, New York 1942, beschreibt.

[2] Tatsächlich prägte der imperiale Kosmopolitismus auch das Leben in kleineren Orten, etwa in Provinzzentren wie Rutschuk, jener bulgarischen Hafenstadt an der Donau, in der Elias Canetti aufwuchs. Unter der Herrschaft der Osmanen wurde Rutschuk zu einer Stadt der vielen Kulturen, in der sich Bulgaren, Juden, Griechen, Albaner, Armenier und Zigeuner niedergelassen hatten. Siehe Canettis Schilderung in *Die gerettete Zunge*, München 1977.

[3] Ich stütze mich hier in der Hauptsache auf P.M. Fraser, *Ptolemaic Alexandria*, 3. Bde., Oxford 1972, bes. Bd. 1, Kapitel 2, sowie Victor Tcherikover, *Hellenistic Civilization and the Jews*, New York 1979, bes. Teil 2, Kap. 2.

[4] Vgl. Benjamin Braude und Bernard Lewis (Hgg.) *Christians and Jews in the Ottoman Empire: The Functioning of a Plural Society*, Bd. 1: *The Central Lands*, New York 1982, was die historische Seite betrifft und Will Kymlicka, »Two Models of Pluralism and Tolerance«, in David Heyd (Hg.), *Toleration: An Elusive Virtue*, Princeton 1996, S. 81–105, was die theoretische Seite des Milletsystems betrifft, das uns »nützlicherweise daran erinnert, daß individuelle Rechte nicht die einzige Möglichkeit sind, einen religiösen Pluralismus zu erlauben«.

[5] Darüber, wo diese Grenzen verlaufen, vgl. meine Debatte mit David Luban,

zu finden in Charles Beitz, Marshall Cohen, Thomas Scanlon und A. John Simmons (Hgg.), *International Ethics*, Princeton 1985, S. 165–243.

[6] Dieses Beispiel für Intoleranz jenseits bewaffneter Intervention verdanke ich John Rawls.

[7] Siehe Arend Lijphart, *Democracy in Plural Societies: A Comparative Exploration*, New Haven 1977.

[8] Zu den deutschen Juden, einer prototypischen Minderheit, siehe H.I. Bach, *The German Jew: A Synthesis of Judaism and Western Civilization*, 1730–1930, Oxford 1984; sowie Donald L. Niewyk, *The Jews in Weimar Germany*, Baton Rouge 1980.

[9] So argumentiert Will Kymlicka in seinem Buch *Multicultural Citizenship*, New York 1995. Er hat dabei vor allem solche Minderheiten im Auge, die im Laufe einer Eroberung unterworfen wurden wie die Ureinwohner der Neuen Welt. Das Argument gilt ganz allgemein für alle seit langer Zeit bestehenden und territorial gebundenen Minderheiten, nicht aber für Einwanderungsgruppen. Die Gründe dafür werde ich, immer noch Kymlicka folgend, im nächsten Abschnitt erklären.

[10] Dieses und das vorhergehende Zitat stammen aus Patrick Thornberry, *International Law and the Rights of Minorities*, Oxford 1991; vgl. dazu die Erörterung dieser Verträge auf S. 132–137.

[11] Die Vereinigten Staaten werden hier mein wichtigstes Beispiel sein, und John Higham wird mich in der Hauptsache durch die amerikanische Einwanderungspolitik leiten. Vgl. *Strangers in the Land und Send These to Me: Jews and Other Immigrants in Urban America*, New York 1975. Ich habe mich desweiteren auf die Artikel und Essays in Stephen Thernstrom (Hg.), *Harvard Encyclopedia of American Ethnic Groups*, Cambridge, Mass. 1980, gestützt, sowie auf meine eigene Darlegung des amerikanischen Pluralismus, vgl. *Zivile Gesellschaft und amerikanische Demokratie*, Berlin 1992, und natürlich auf meine persönliche Erfahrung mit jenem Pluralismus.

[12] Diese Beispiele verdanke ich Clifford Geertz.

III. Komplizierte Fälle

[1] Vgl. dazu William Rogers Brubaker (Hg.), *Immigration and the Politics of Citizenship in Europe and North America*, Lanham, Md. 1989, S. 7. (Im Auftrag des deutschen Marshall Fund.)

[2] Die Geschichte ist weitaus komplizierter, als aus dieser kurzen Zusammenfassung hervorgeht. Eine ausgezeichnete Darstellung findet sich bei Roger Brubaker, *Citizenship and Nationhood in France and Germany*, Cambridge, Mass. 1992.

[3] Zur Analyse dieser Debatte vgl. Gary Kates, »Jews into Frenchmen: Nationality and Representation in Revolutionary France«, *Social Research* 56 (Frühjahr 1989), S. 229.

[4] Jean Paul Sartre, Betrachtungen zur Judenfrage, Zürich 1948, S. 49 f.

[5] Das Wort ›Frankisierung‹ *(francisation)* fällt jedoch in den gegenwärtigen Debatten in Quebec.

[6] Eine hilfreiche Darstellung einiger dieser Spannungen findet sich bei Dan Horowitz/Moshe Lissak, *Trouble in Utopia: The Overburdened Polity of Israel*, Albany 1989.

[7] Alex Weingrod, »Palestinian Israelis?«, *Dissent* (Sommer 1996), S. 108–110.

[8] James Tully, *Strange Multiplicity:Constitutionalism in an Age of Diversity*, Cambrigde 1995, S. 145 f. Neben einer überzeugenden Verteidigung der Rechte, die den Bewohnern der Provinz Quebec und vor allem den Ureinwohnern eingeräumt werden sollten, bietet Tully eine ganz hervorragende Darstellung der Dilemmata, mit denen die Toleranz in Kanada zu ringen hat. Eine nützliche Korrektur von liberaler Seite, die meiner eigenen Position näherkommt, bringt Kymlicka an. Vgl. dazu sein Buch *Multicultural Citizenship*.

[9] Siehe dazu Charles Taylors gesammelte Aufsätze zur ethnischen Politik in Kanada: *Reconciling the Solitudes: Essays on Canadian Federalism and Nationalism*, hrsg. von Guy Laforest, Montreal 1993.

[10] Martin Holland, *European Integration: From Community to Union*, London 1994, S. 156. Siehe dazu auch die Erörterung der »neuen Sozialgesetzgebung in Europa«, in Maurice Roche, *Rethinking Citizenship: Welfare, Ideology and Change in Modern Society*, Cambridge 1992, Kapitel 8.

IV. Praktische Fragen

[1] Vgl. Stephen L. Carter, *The Culture of Disbelief*, New York 1993, S. 96: »Die Sprache der Toleranz ist die Sprache der Macht.«

[2] Vgl. Ralph Ellisons klassischen Roman *Der unsichtbare Mann*, Zürich 1995.

[3] Der Leser mag es nützlich finden, sich eine Fallstudie anzusehen, die außerhalb meines Vergleichsrahmens liegt, nämlich Marc Galanters *Competing Equalities: Law and the Backward Classes in India*, Berkeley 1984. Die indische Spielart der »kompensatorischen Diskriminierung« war vor allem dazu gedacht, ein jahrhundertealtes System der Stigmatisierung und der Intoleranz zu überwinden, und Galanter zeigt, daß die Bemühung, eine Beamtenklasse aus den »Unberührbaren« hervorzubringen, Indien diesem Ziel zumindest ein wenig nähergebracht hat.

[4] Sir Percival Griffiths, *The British Impact on India*, London 1952, S. 222, 224.

[5] Ich folge hier der Darstellung von Bronwyn Winter, »Women, the Law, and Cultural Relativism in France: The Case of Excision«, *Signs* 19 (Sommer 1994), S. 939–974.

[6] Zitiert ebd. S. 951. Das Zitat stammt aus einer von Martine Lefeuvre entworfenen Petition, die 1989 vom Mouvement Anti-Utilitariste dans les Sciences Sociales (MAUSS) veröffentlicht wurde.

[7] Ebd. S. 957.

[8] Ich möchte betonen, daß meine Argumentation nicht darauf abzielt, derartige Bräuche strafrechtlich zu verfolgen, sie tritt lediglich dafür ein, daß der Staat die eine oder andere Maßnahme ergreift, um sie zu beenden. Winter plädiert dafür, den Prozeß der kulturellen Reproduktion zu reformieren, d.h., sie setzt sich für Erwachsenenbildung, medizinische Beratung usw. ein (ebd. S. 966–972). Eine andere Fallstudie, die zu ähnlichen Ergebnissen kommt, stammt von Raphael Cohen-Almagor, »Female Circumcision and Murder for Family Honour Among Minorities in Israel«, in Kirsten E. Schulze, Martin Stokes und Colm Campbell, *Nationalism, Minorities and Diasporas: Identities and Rights in the Middle East*, London 1996, S. 171–187.

[9] Vgl. dazu das originelle, neue Wege einschlagende Argument von Anna Elisabeth Galleotti in »Citizenship and Equality: The Place for Toleration«, *Political Theory* 21 (November 1993), S. 585–605. In meinen Gesprächen mit Dr. Galeotti habe ich viel über die Probleme gelernt, denen sich die Toleranz im heutigen Europa gegenübersieht.

[10] Ein starkes, meiner Ansicht nach zu starkes Argument gegen diesen Kompromiß trägt Ian Shapiro vor. Vgl. *Democracy's Place*, Ithaca, N.Y. 1996, Kap. 6: »Democratic Autonomy and Religious Freedom: A Critique of *Wisconsin v. Yoder*« (zusammen mit Richard Arneson) sowie Amy Gutmann, »Civil Education and Social Diversity«, *Ethics* 105 (April 1995), S. 557–579.

[11] Vgl. dazu die Sammlung von juristischen Schriften, Reden und Traktaten in Lillian Schlissel (Hg.), *Conscience in America*, New York 1968.

[12] Im Englischen *con-science* (Gewissen). Mit dieser Schreibweise hebt Walzer hervor, daß die Gewißheit, auf die sich das Gewissen beruft, nie ganz und gar individuell ist, sondern irgendeine Gemeinschaft, ein »Mit-Wissen« voraussetzt, und sei es nur die Gemeinschaft zwischen dem einzelnen Gläubigen und Gott. (A. d. Ü.)

[13] Eine starke und substantielle These zu den Anforderungen, mit denen sich die Schule in einer liberalen Demokratie konfrontiert sieht, formuliert Amy Gutman, *Democratic Education,* Princeton 1987.

[14] *Der Gesellschaftsvertrag* 4. Buch, Kapitel 8. Die Anwendung des Begriffs auf heutige Formen der Zivilreligion geht auf Robert Bellah zurück, siehe *The Broken Covenant: American Civil Religion in Time of Trial*, New York 1975.

¹⁵ Eine andere Auffassung über die fundamentalistischen Einwände gegen eine liberale Erziehung vertritt Nomi Maya Stolzenberg, »»He Drew a Circle That Shut Me Out«: Assimilation, Indoctrination, and the Paradox of Liberal Education«, *Harvard Law Review* 106 (1993), S. 581–667. Die Brisanz des Paradoxons wird man nicht bezweifeln wollen, aber dennoch übertreiben die Eltern, fundamentalistische Christen, über die Stolzenberg mit viel Sympathie schreibt, vermutlich die Auswirkungen öffentlicher Schulen auf ihre Kinder. Dennoch mögen Gewissensgründe solcher Eltern und ihrer Kinder in einer liberalen Gesellschaft zugelassen werden: vgl. Sanford Levinsons Rezension von Stephen Carters *Culture of Disbelief* in der *Michigan Law Review* 92 Nr. 6 (1994), S. 1873–1892.

¹⁶ Die Erhebung des Labor Day zum allgemeinen Feiertag in den Vereinigten Staaten ist ein interessantes Beispiel dafür, was man machen kann und nicht machen kann (bzw. machen sollte und nicht machen sollte). Der 1. Mai war ein Feiertag der Arbeiterbewegung und der mit ihr verbundenen Parteien und Splittergruppen; er hatte eine spezifische und eingeschränkte politische Bedeutung, die ihn vermutlich für eine nationale Einhaltung untauglich machte. Der neue Name und das neue Datum des Feiertags machten es möglich, diesen Tag als Feier nicht so sehr der Männer und Frauen der Arbeiterbewegung zu begehen, sondern der Männer und Frauen selbst.

¹⁷ Vgl. dazu Herbert Marcuses Argument für sehr viel enger gesteckte Grenzen, dafür »daß die Toleranz vor der Tat entzogen werde: auf der Stufe der Kommunikation in Wort, Druck und Bild«, (»Repressive Toleranz«, in Robert P. Wolff/ Barrington Moore Jr./Herbert Marcuse, *Kritik der reinen Toleranz*, Frankfurt/M. 1965, S. 120. Marcuses Argumentation beruht auf einem außergewöhnlichen Vertrauen in die eigene Fähigkeit, die »Kräfte der Emanzipation« zu identifizieren, und daher sagen zu können, wer die Gegner sind, denen jede Toleranz zu verweigern ist.

V. Moderne und postmoderne Toleranz

¹ Jean Paul Sartres bekannte These, der Antisemitismus stabilisiere die jüdische Identität, läßt sich auch für viele andere Minderheiten geltend machen, doch wird sie sehr wahrscheinlich nicht auf die Zustimmung ihrer Mitglieder treffen, vor allem nicht der engagiertesten, für die Geschichte und Kultur der Gruppe einen echten Wert darstellen, und die meinen, es sei dieser Wert, der den einzelnen veranlaßt, sich mit der Gruppe zu identifizieren. Vgl. dazu mein Vorwort zur englischen Übersetzung von Sartres Buch über die Judenfrage *Antisemite and Jew*, New York 1995.

[2] Diese Zeile wird von einer Figur aus Robert Frosts epischen Gedicht »Mending Wall« gesprochen. (*The Poems of Robert Frost*, New York 1946, S. 35 f.) Der Dichter selbst teilt diese Ansicht nicht völlig.

[3] Julia Kristeva, *Fremde sind wir uns selbst*, Frankfurt/M. 1990, S. 23.

[4] Ebd., S. 212.

Epilog: Reflexionen über den amerikanischen Multikulturalismus

[1] New York 1963.

[2] In seinem Buch *Socialism and America*, San Diego 1985, vertritt Irving Howe dieselbe These mit Blick auf die politischen Vereinigungen der Linken. Er beschreibt dort, wie aktive Sozialisten zunächst zu Organisatoren und dann zu Funktionären der Gewerkschaften wurden, bevor sie über lokale und bundesweite Kampagnen der Demokraten in offizielle Parteiposten aufstiegen. Diese Betrachtung des Sozialismus als »Vorschule« für staatstragende Parteien und Bewegungen muß nach Ansicht Howes den Sozialisten Unbehagen bereiten. Sich der Mehrheitskultur anzupassen, ist in der Tat oft eine schmerzhafte Angelegenheit. Vgl. seine Darlegung S. 78–81 u. S. 141.

[3] So argumentiert Robert Putnam in einer Reihe von Artikeln, die bislang noch nicht in Buchform erschienen sind. Kritiker haben entgegnet, daß es heute Vereinigungen in den USA gibt, die wachsende Mitgliederzahlen zu verzeichnen haben, Hilfsorganisationen unterschiedlichster Art wie die American Association for Retired Persons, therapeutische Verbände wie die anonymen Alkoholiker, Cyperspace Netzwerke usw. Ob diese Gruppen allerdings dieselbe für eine gemeinnützige Arbeit notwendige Erziehung und Disziplin vermitteln wie die Parteien, Bewegungen und Kirchen, die Putnam vor allem im Auge hat, bleibt dahingestellt. Vgl. dazu seinen Aufsatz »Bowling Alone: America's Declining Social Capital«, *Journal of Democracy* 6 (Januar 1995), S. 65–78.

[4] Die meisten Informationen in der nachfolgenden Liste stammen vom U.S. Bureau of the Census, *Statistical Abstract of the United States: 1994*, 114. Aufl., Washington D.C. 1994; vgl. auch Andrew Hackers nützliches Buch *U/S: A Statistical Portrait of the American People*, New York 1983.

[5] Dies ist eine übertriebene Wiedergabe der von Arthur Schlesinger Jr. vorgetragenen These in *The Disuniting of America*, New York 1992, es ist aber keine Übertreibung all dessen, was im Radio, im Fernsehen, in den Leitartikeln und Kolumnen der Tagespresse, in Zeitschriften usw. nach der Veröffentlichung des Buches geschrieben und gesagt wurde.

⁶ A.D. Lindsay, *The Modern Democratic State*, Bd. 1 (ein zweiter Band ist nie erschienen), London 1943, Kap. 5.

⁷ Vgl. John Kenneth Galbraith, *American Capitalism: The Concept of Countervailing Power*, Boston 1952, sowie Richard B. Freeman/James L. Medoff, *What Do Unions Do?*, New York 1984.

⁸ Im englischen *charter schools;* ursprünglich waren *charter schools* von Protestanten im 18. Jahrhundert in Irland organisierte Schulen, die den armen Katholiken eine Schulausbildung protestantischer Prägung geben wollten. (A.d.Ü.)

⁹ Gabriel A. Almond/Sidney Verba, *The Civic Culture: Political Attitudes and Democracy in Five Nations*, Princeton 1963, bes. Kap. 10.

¹⁰ Vgl. dazu die Argumentation in Gutmann, *Democratic Education*.

¹¹ *Pollyanna* ist die Titelfigur eines bekannten amerikanischen Kinderbuches von Eleanor H. Porter. Das Waisenmädchen Pollyanna lehrt eine ganze Kleinstadt die Kunst, in allem das Positive zu sehen. (A. d.Ü.)

DANKSAGUNG

Dieses Buch hat eine etwas verwickelte Entstehungsgeschichte. Es fing an als eine Vorlesung, die die fünf »Systeme der Toleranz« skizzierte und auf Einladung der Unione Italiana del Lavoro in Palermo und in Florenz gehalten wurde und noch einmal auf einer Konferenz über Nationalismus, die Robert McKim und Jeff MacMahan an der Universität von Illinois ausgerichtet haben; ein dieser Konferenz gewidmeter Band wird bei Oxford University Press herauskommen. Ich reiste eine Zeitlang herum, hielt die Vorlesung und bekam von Freunden und Kollegen in Italien, Kanada, England, Deutschland, Österreich, Holland und den USA hilfreiche Kommentare, darunter auch scharfe Kritik. Selbst wenn ich hier nicht die vielen Menschen aufzählen kann, die mir dabei geholfen haben, mir über die mit der Toleranz verbundenen Probleme klarzuwerden, bin ich ihnen allen ausgesprochen dankbar. Einige wenige von ihnen werden im Anmerkungsapparat namentlich erwähnt.

Ich begann die Vorlesung zu erweitern, um auf ihre Kommentare einzugehen, und schrieb dann einen parallelen Text, der in *Dissent* unter der Überschrift »Multiculturalism and Individualism« erschien und zum Thema hatte, wie die Toleranz in den USA »funktioniert«. Diskussionen mit Kollegen und Gästen des Institute for Advanced Study in Princeton veranlaßten mich, beides zu überarbeiten, den Vorlesungstext und den Artikel. Die Veranstalter der Castle Lectures gaben mir eine vorzügliche Gelegenheit, beide Teile zusammenzubringen und ihre Stichhaltigkeit vor einem lebendigen und engagierten Yale-Auditorium zu testen. Ian Shapiro organisierte diesen Besuch in New Haven und bestärkte mich in dem Vorsatz, daraus dieses Buch zu machen. Lektoren der Yale University Press gingen ein letztes Mal alles kritisch durch. Drei von ihnen, Jane Mansbridge, Susan Okin und Bernard Yack, traten aus ihrer Anonymität als Gutachter heraus und machen es mir so möglich, ihnen hier meinen Dank zu sagen. Viele ihrer Ratschläge habe ich befolgt. Dies Buch würde unzweifelhaft besser gelungenen sein, wenn ich alle aufgegriffen hätte – nur eben wäre es dann auch länger geworden.

TOLERANZ, PLURALISMUS UND DIE KUNST DER TRENNUNG

Nachwort von Otto Kallscheuer

I.

Der Titel dieses Buches ist eine Anspielung auf John Lockes berühmten *Brief über Toleranz.* Darum könnte er aber manchen Leser auch (ent)täuschen. Denn Michael Walzer greift hier nicht direkt die klassischen Kontroversen und die moralischen Paradoxa der Toleranzdebatte auf, also Fragen wie: Darf ich eine Handlung, Einstellung oder Konfession tolerieren, von der ich doch weiß, daß sie falsch ist, und also im Falle des falschen Glaubens oder einer Todsünde den Betreffenden zur ewigen Verdammnis verurteilen kann? (Wie kann ich das mit meinem Gewissen vereinbaren? Widerspricht dies nicht meiner Christenpflicht zur Nächstenliebe?) – Oder: Keine Toleranz für Feinde der Toleranz? (Wer bestimmt die Grenzen der Toleranz?)

Natürlich hat sich Michael Walzer bereits wiederholt mit den klassischen Plädoyers für religiöse Toleranz im 17. Jahrhundert und insbesondere mit John Locke befaßt, so auch in seinem großen Buch *Sphären der Gerechtigkeit.* Seit seiner Harvard-Dissertation über die politische Theorie und Praxis des Calvinismus (1965) ist der heute in Princeton lehrende politische Theoretiker immer wieder auf die ideengeschichtliche Wende der europäischen Konfessionskriege zurückgekommen, in denen die westlichen Begriffe von politischer Ordnung und Loyalität, von Reform und Revolution, von Freiheit und Toleranz zwar nicht entstanden sind, aber mit deren Verlauf und Beendigung sie eine spezifisch moderne, säkulare Kontur erhalten haben. Und dabei hat Walzer sich wiederholt mit dem Verhältnis von Religion und

Politik in der Geschichte und Gegenwart des politischen Denkens befaßt.[1]

Nun: Diese frühneuzeitlichen Auseinandersetzungen um das Verhältnis von Konfessionen und politischer Ordnung sind nicht das Thema des vorliegenden Buchs. Doch das Verfahren der Zivilisierung von Konflikten durch Grenzziehung, das John Locke im *Letter Concerning Toleration* für das Verhältnis von Religion und Politik vorgeschlagen hatte, bleibt auch für Walzers Diagnose des Umgangs mit ethnischen und kulturellen Gruppenkonflikten von Belang.

2.

Darum zur Erinnerung: Worum ging es in dieser ersten großen *politischen* Toleranzdebatte Europas?[2] Um welche Fragen, Argumente und Programme? Wer waren die wichtigsten Befürworter der Toleranz? Welches ihre Gegner? Man könnte zahlreiche Schriften anführen, v. a. natürlich aus der politischen Auseinandersetzung zwischen der anglikanischen Kirche und den radikalen Calvinisten in England und den Niederlanden. (Und: Natürlich gehört auch Benedikt Spinozas *Tractatus Theologico-Politicus* (1670) in diese Debatte.) Erwähnt sei hier nur das Pamphlet für Religionsfreiheit des Baptisten Roger Williams *The Bloody Tenent of Persecution for Cause of Conscience – Discussed in a Conference Between Truth and Peace* (1644), weil es durch Williams' eigene Rolle in den amerikanischen Kolonien auch für die US-amerikanische Form der Trennung von Kirche und Staat von Bedeutung ist. Aber die beiden klassischen Plädoyers für die religiöse Toleranz wurden bekanntlich während derselben Jahre (1685–86) in den Niederlanden von zwei Intellektuellen im Exil verfaßt: die Programmschriften John Lockes und Pierre Bayles.[3]

Pierre Bayles *Commentaire Philosophique sur les Paroles de Jésus –
Christ ›Contrains-les Entrer‹* (1686) stammte aus der Feder eines
Hugenotten: eines vom katholischen Frankreich verfolgten cal-
vinistischen Theologen im Exil, der freilich auch der calvinisti-
schen Orthodoxie gegenüber skeptisch blieb. Bayle reagierte mit
seiner anonymen Schrift auf das Wiedereinsetzen der Hugenot-
tenverfolgung mit dem Edikt von Fontainebleau (1685), d.h. auf
Ludwigs XIV. Aufhebung der 1598 von Heinrich IV. den Protestanten im Toleranzedikt von Nantes gewährten Religionsfreiheit. Sein eigener Bruder, ebenfalls calvinistischer Pastor, war
der Verfolgung zum Opfer gefallen.

Zur selben Zeit schrieb auch der liberale britische Protestant
John Locke seine *Epistola de Tolerantia*. Locke hatte sich 1683 aus
einer für seine ›Partei‹ (die eher liberalen und jedenfalls antika-
tholischen Whigs) gefährlich werdenden innenpolitischen Situation Englands in die toleranten Niederlande abgesetzt. Seine
Epistola bzw. ihre englische Version *A Letter Concerning Toleration*
sollte er freilich erst 1689 veröffentlichen, d.h. nach dem Sieg
der Whigs in der (von ihnen) so genannten ›Glorreichen Revolution‹: der Flucht des katholischen Königs Jakob II., die Krö-
nung des Protestanten Wilhelm von Oranien und die Verkün-
dung der Bill of Rights und des Toleration Act.

Allen Beteiligten an dieser Debatte ging es um zwei Streitfragen: (a) um das Recht des einzelnen, in der Entscheidung für das
Glaubensbekenntnis seiner Wahl auch seinem möglicherweise
»irrenden Gewisses« zu folgen – und die Rolle, die bei der Bekehrung zum rechten Glauben äußerer Zwang spielen könne
(oder dürfe). Sowie (b) um das Verhältnis von politischer Stabilität (also der Vermeidung des Bürgerkrieges) und religiöser
Zwietracht. Der große theoretische Antipode der Befürworter
der Religionsfreiheit war Thomas Hobbes, der bekanntlich im
dritten und vierten Teil seines *Leviathan* (1651) die Entschei-
dungsgewalt des politischen Souverän in allen Fragen der öffentlichen Religion verteidigt hatte; denn Hobbes' Hauptsorge galt

der Einheit der Staatsmacht.[4] Jede Anerkennung einer anderen Autorität neben der des Souveräns unterminierte dessen Gewalt: Eine autonome geistliche Gewalt führt als potentiell antagonistischer Staat im Staate früher oder später zum Bürgerkrieg; theologisch gesehen ist sie das Reich der Finsternis, das »Kingdom of Darkness« (*Leviathan*, Teil IV).

Lockes *Letter Concerning Toleration* plädiert wider solch eine monistische Lösung für die Trennung zwischen der politischen Gewalt einerseits, die in ihrer Domäne mit dem Mittel des Zwangs operieren kann und der ungehinderten Freiheit für alle religiösen Bekenntnisse andererseits – jedenfalls soweit sie sich in freiwilligen Religionsgemeinschaften oder Kongregationen organisieren und elementare Existenzbedingungen des Gemeinwesens nicht gefährden. Letzteres trifft nach Locke bekanntlich auf Atheisten und Katholiken zu: Atheisten glauben an keine strafende göttliche Gerechtigkeit im Jenseits und können daher keinerlei Gewähr für das Einhalten von Versprechen, Eiden und Verträgen bieten, von deren Verläßlichkeit doch das Bestehen jeder politischen Ordnung abhängt; und die Katholiken (die Verlierer der ›Glorious Revolution‹) sind dem Papst, also einem fremden Souverän gegenüber zu Gehorsam verpflichtet und als Anhänger einer internen Umsturzpartei bekannt.

Die Theorien der Befürworter der Toleranz unterscheiden sich nach dem relativen Gewicht, das sie im einzelnen den beiden Problemen (a) oder (b) einräumen – je nachdem, ob die Argumente der Verteidiger der Religionsfreiheit eher auf das unveräußerliche Recht des individuellen Gewissens bei der Entscheidung für den rechten Glauben abheben (wie bei Pierre Bayle) oder auf die fatalen Folgen der Unterdrückung dissidenter (oder »falscher«) Glaubensbekenntnisse für die politische Ordnung. Hier ist umstritten, wieweit Lockes Ablehnung religiöser Verfolgung tatsächlich auf einer radikalen Position der Gewissensfreiheit beruhte (oder eher auf der realistischen Annahme, daß äußerer Zwang keine echte Bekehrung zum rechten

Glauben erreichen könne). Immerhin hatte derselbe Locke in früheren, unveröffentlicht gebliebenen Denkschriften durchaus das Recht des Souveräns (bzw. der Staatskirche) zur Kontrolle und Auflösung der *Independents* und *Dissenters*, des radikalen Flügels der britischen Reformation, nicht bestritten, sondern nur auf die Frage,»ob Tolerierung oder Zwang der geeignetste Weg sei, Sicherheit und Frieden zu gewährleisten«, die Tolerierung empfohlen.[5]

Aber im Ergebnis befürworteten alle diese Verfechter der modernen Religionsfreiheit eine (mehr oder minder radikale) dualistische Lösung: die Trennung zwischen der politischen Macht als Garantie des sozialen Friedens und der Kirche bzw. den ausschließlich auf freiwilliger Mitgliedschaft beruhenden Glaubensgemeinschaften. Die Befürworter des Dualismus konnten ja aus der reformatorischen These, daß einzig die innerlich aufrichtige Überzeugung den eigentlichen Prüfstein des wahrhaften Glaubens darstelle (Locke:»faith is not faith without believing«), den Schluß ziehen: *ergo* verbiete es sich für jede äußere, staatliche Zwangsgewalt, diese freie Gewissensentscheidung der Bürger und Christen zu behindern oder einzuschränken. Die Unterscheidung von religiöser Domäne und den Angelegenheiten der *res publica* ist damit mehr als eine ›neutrale‹, rein analytische Unterscheidung zwischen politischer und kirchlicher *societas*.

Lockes These, daß»die Kirche selbst eine vom bürgerlichen Gemeinwesen [commonwealth] vollständig getrennte und unterschiedliche Sache ist«, impliziert bereits seine politische Forderung: Religiöse und politische Sphäre – der Staat als das institutionalisierte Monopol der physischen Gewalt und die Kirche als Anstalt des Zugangs zu den transzendenten Quellen der Erlösung – müssen voneinander geschieden werden. Alles andere widerspräche ebenso der bürgerlichen Freiheit wie der Freiheit des Christenmenschen. »Die Grenzen auf beiden Seiten sind fest und unveränderlich. Wer diese beiden Gesellschaften, die in

Ursprung, Zweck, Geschäft und allem völlig getrennt und unendlich verschieden voneinander sind, vermischt, der wirft Him-
mel und Erde [...] zusammen«.[6]

3.

Die Lockesche Lösung der Trennung von Kirche und Staat, welche bekanntlich auch von Thomas Jefferson intensiv studiert
wurde, ist seit zwei Jahrhunderten Verfassungsgrundsatz der
Vereinigten Staaten (First Amendment) – genaugenommen sogar in einer noch radikaler »separatistischen« Version, welche an
die des Täufers Roger Williams erinnert.[7] Und diese (im weiten
Sinne) Lockesche Lösung hat sich ja nach Walzer in der Tat für
das Problem der Religionsfreiheit in der amerikanischen Demokratie weitgehend bewährt. Jede demokratische Gesellschaft, die
zugleich einen Pluralismus der Bekenntnisse zulassen will, wird
in der einen oder anderen Form zwischen Religion und Politik eine
institutionelle und symbolische »Trennlinie« ziehen müssen –
ohne freilich deshalb zwangsläufig alle Kommunikation zwischen beiden Sphären zu unterbinden.[8]

Natürlich betrifft das Problem der friedlichen Koexistenz
zwischen Gruppen mit radikal verschiedenen Lebensformen,
um die es Walzer im vorliegenden Buche geht – seien die Grup-
penidentitäten nun kulturell, ethnisch oder religiös begründet –,
weit mehr als nur die klassische Bekenntnisfreiheit allein. An den
amerikanischen Pluralisten aus Bekenntnissen »protestantischer
Färbung« (Walzer) und individualistischer Ausprägung assimiliert, hat auch der religiöse Konflikt zwischen den Konfessionen
viel von seiner Explosivität verloren, woran Walzer im vierten
Kapitel dieses Buches erinnert.

Auch die »harten Fälle« heutiger religiöser Toleranzkonflikte
betreffen nicht so sehr den Inhalt religiöser Dogmen: Weder im

religiösen Amerika noch im säkularisierten Europa würden christliche Kirchen noch für die theologisch korrekte Lehre der göttlichen Drei-Einigkeit auf die Straße gehen. Es geht um lebenspraktische Identätsprobleme: die Unverträglichkeit familiärer Normen und Loyalitäten, widerstreitende Geschlechtsrollen, Sexual- und Fortpflanzungsmoral, hygienische und rituelle Praktiken. Konflikte trennen eher die ›Liberalen‹ und ›Fundamentalisten‹ *innerhalb* jeder Konfession oder Religion voneinander, als daß sie *en bloc* »die« Katholiken gegen »die« Muslime, Protestanten wider Juden o.ä. stellten. Schon deshalb lassen sich die Lösungen der frühneuzeitlichen Kämpfe und Debatten um die religiöse Toleranz nicht einfach auf heutige Situationen übertragen: etwa auf interethnische Konflikte in zerfallenden Imperien oder auf die multikulturellen Widersprüche in Einwanderungsgesellschaften.

Zudem finden Konflikt, Konkurrenz und mögliche Koexistenz zwischen einander ausschließenden, überlappenden oder (im gelingenden Fall) ergänzenden Gruppen heute einer Situation allgemeiner Gefährdung traditioneller kollektiver Identitäten statt. Die ›Globalisierung‹ der Gegenwartsgesellschaften und ihre ›Fragmentierung‹ verstärken sich wechselseitig.[9] Einerseits zirkulieren wissenschaftlich-technische Innovationen und Informationen, Investitionen und Konsummuster, Wirtschaftsrhythmen und Lebensstile in zunehmendem Maße inter- oder transnational (zumal, seitdem weder Eiserne Vorhänge noch Chinesische Mauern mehr Einhalt gebieten); und sie ziehen vielen klassischen Formen der Identifizierung im Wortsinne den Boden unter den Füßen weg. Andererseits ruft ebendiese »Entterritorialisierung« zentraler Muster der Produktion und Reproduktion sozialer Identität auch neue Widerstände hervor; und die Reaktion auf Entgrenzungs- und Durchmischungsängste besteht dann häufig in einer »fundamentalistischen«, aggressiven Verhärtung der (ethnischen, nationalen, religiösen) Gruppen gegeneinander.

Die Frage nach den Bedingungen und Grenzen der religiösen Toleranz war schon im 17. Jahrhundert eine politische Frage, die nach institutionellen Lösungen verlangte. Die damals in Europa siegreichen Modelle waren monistischer Natur; sie sanktionierten mit der Westfälischen Friedensformel von Münster und Osnabrück (1648) das »jus reformandi« des Königs oder Landesherrn. *Cuius regio eius religio*: Allein der Souverän bestimmt die Konfession – in Hobbes' *Leviathan*, in den anglikanischen oder protestantischen Staatskirchen, aber auch in Ludwigs XIV. Politik – »ein König, ein Glaube, ein Gesetz«. Der konfessionelle Staat etabliert die Religion des Herrscherhauses und beseitigt das Problem konfligierender Loyalitäten durch Verfolgung, Vertreibung, Exil.

Die dualistischen oder ›separatistischen‹ Lösungen wurden in der neuen Welt protestantischer Siedler institutionalisiert und erhielten mit der amerikanischen Unabhängigkeit Verfassungsrang. Es waren echte Lösungen der religiösen Koexistenz, aber natürlich nicht für alle anderen Gruppenwidersprüche in der Einwanderungsrepublik USA. Heute muß die Suche nach den Formen der Zivilisierung von radikaler Differenz zunächst die verfügbaren institutionellen Arrangements sichten. Darum analysiert Walzer in seinem Buch verschiedene »Regimes« oder Systeme der Toleranz.

4.

In einem zuerst 1984 veröffentlichten Aufsatz hat Michael Walzer eine seiner Grundideen als politischer Theoretiker zusammengefaßt:[10] Die ›Kunst der Trennung‹ zwischen unterschiedlichen Gütern menschlicher Existenz bzw. verschiedenen ›Sphären‹ des gesellschaftlichen Zusammenlebens bildet eine politische Zentraltugend freier Gesellschaften, freiheitlicher Politik und liberal-demokratischer Verfassungsordnungen. Sein im Jahr zuvor veröffentlichtes opus magnum *Spheres of Justice* kann als die theoretische Ausführung dieser Intuition verstanden werden. Verschiedene Güter, verschiedene Handlungs- und Rationalitätssphären erfordern auch verschiedene Verteilungsmechanismen – und, so Walzers These: auch die Fragen nach ihrer gerechten Verteilung lassen sich (daher) nicht auf ein einziges Gerechtigkeitskriterium reduzieren. Nur eine »komplexe« Konzeption sozialer Gerechtigkeit vermag daher die Anforderungen von Pluralismus *und* Gleichheit zu erfüllen.

Walzer vergleicht die Einrichtung einer liberalen Ordnung mit dem Zeichnen einer Landkarte: »Die alte, vorliberale Landkarte zeigte eine weitgehend undifferenzierte Landmasse, mit Flüssen und Bergen, großen und kleinen Städten, aber ohne Grenzen. […] Gegenüber dieser Welt predigten und praktizierten die Denker des Liberalismus die Kunst der Trennung. Sie zogen Trennungslinien, grenzten verschiedene Bereiche ab, und schufen die sozialpolitische Landkarte, die uns heute noch vertraut ist. Die berühmteste Trennlinie ist die zwischen Kirche und Staat verlaufende ›Mauer‹, aber es gibt zahlreiche andere. Der Liberalismus ist eine Welt von Mauern, und jede erzeugt eine neue Freiheit«.[11]

Die erste Trennmauer befreit die Religionsgemeinschaften vom Eingriff der politischen Macht – und sie fordert die Autonomie der Politik gegenüber der organisierten Religion (ob Kirche oder Staatsideologie[12]). Jede neue Trennlinie definiert eine neue Domäne spezifischer Freiheiten: die Freiheit der Wissenschaft von der Religion, später dann auch ihre Unabhängigkeit gegenüber Staat und Wirtschaft; die Autonomie der Wirtschaftssphäre gegenüber der Moral; die Unabhängigkeit der Rechtsordnung von der politischen Macht; die Freiheit der Privatsphäre (und d.h. ihre Freisetzung, ihre Entstehung *als* Privatsphäre) gegenüber Politik und Öffentlichkeit. Dabei setzen die liberalen Grenzziehungen zwischen Politik, Wirtschaft, Religion und Privatsphäre die soziale Unterscheidbarkeit dessen, was sie trennen, voraus – und zugleich sind sie auch Faktoren, die die Trennung der ›Sphären‹ von Macht, Geld, Kultur und Religion, von Öffentlichkeit und Privatheit, vorantreiben: die (relative) Autonomie dieser Wertsphären (als ›Subsysteme‹) wird im Zuge der Entwicklung moderner Gesellschaften zunehmend plausibler.[13] Und das Ideal der liberalen Trennung von Wert- und Machtsphären läßt sich somit auch als eine Form der Gestaltung jenes Prozesses interpretieren, der makrosoziologisch gerne als ›funktionale Differenzierung‹ der modernen Gesellschaft beschrieben wird. Das schließt natürlich nicht aus, daß es in der Moderne auch zu ›Rückfällen‹, d.h. zu Prozessen der Entdifferenzierung kommt, zu Versuchen, die Eigenlogik und Eigendynamik der sozialen Subsysteme aufzuheben. In der Regel heben diese freilich nur die Freiheit auf, nur den kulturellen Pluralismus; nicht die systemische Arbeitsteilung in der Gesellschaft. Selbst in den kulturell gleichgeschalteten Gesellschaften der totalitären Systeme blieb ja meistens eine Art funktionaler Pluralismus zwischen Experten und Funktionären oder Ideologen und Technikern bestehen oder bildete sich neu.

Religiöse Theokratien, nationalistische oder kommunistische Staatsideologien, klientelistische oder kapitalistische Korruption sind Beispiele für solches Niederreißen von liberalen Trennwänden: Wenn Geistliche in ihrer Funktion *als* Priester, Mullahs oder politische Theologen die Macht ergreifen; wenn die politische Macht in die Sphäre des Glaubens eingreift, z.B. wenn sie im Falle des realen Sozialismus eine Art atheistischer ›Staatsreligion‹ etabliert; oder wenn Geld oder Verwandtschaftsclans die Besetzung öffentlicher Ämter bestimmen – in allen diesen Fällen werden die Lebenschancen und der Zugang zur Macht nach freiheitsfeindlichen und sachfremden Kriterien verteilt, nach Maßgabe des rechten Glaubens, der richtigen Verwandtschaft oder das Reichtums. Für Walzers Theorie »komplexer« Gerechtigkeit sind all dies daher »tyrannische« Übergriffe.[14]

5.

Die ›soziale Landkarte‹ einer idealtypischen liberalen Ordnung ist natürlich keine wirkliche – geographische – Karte. Sie trennt auch keine Menschengruppen: Rassen oder Religionsgemeinschaften oder ethnische Gruppen, Kasten oder Stände, welche in traditionellen, segmentär oder ständisch differenzierten Gesellschaften gleichzeitig auch Rechte und Berufe, Reinheit und Unreinheit, Hand- und Kopfarbeit, Verwaltung und Handel voneinander scheiden. Die funktionale Ausdifferenzierung der modernen Gesellschaft trennt schließlich nicht Personen voneinander; sie unterscheidet und unterteilt vielmehr verschiedene Hinsichten der *einen* sozialen Wirklichkeit: diverse Rationalitätsdimensionen von sozialer Interaktion bzw. deren Steuerung, die wir (mehr oder weniger) *alle* beherrschen (müssen).

Man könnte eher umgekehrt behaupten, daß der Begriff der ›Person‹ (als nicht mit ihren Tätigkeiten, Zugehörigkeiten oder auch Rollen zusammenfallendes ›Selbst‹) erst mit einer funktional ausdifferenzierten Gesellschaft auch sozial plausibel wird – also nicht allein im Bereich der solitären Begegnung des »inneren Menschen« (Augustinus) mit Gottes Wahrheit verbleibt. Der funktionale Pluralismus der Wertsphären erfordert ja nicht nur, *innerhalb* jeder Wertsphäre ihre je spezifische Rationalität (oder die charakteristische ›Produktivität‹ jedes Subsystems) autonom zu bewerten, zu kritisieren oder zu steuern. Die Vielfalt sozialer Subsysteme setzt beim einzelnen, der sich ja stets in mehreren von ihnen bewegt, auch eine neue Form der Selbstwahrnehmung frei: eine Art von (zumindest) kognitivem Freiheitsgewinn. Anders als die ständische, erwartet die moderne Gesellschaft von den Individuen, sich auch *gegenüber* all diesen relativ autonomen Wertsphären, denen jedes Individuum in seinen ›Rollen‹ als Citoyen, Bourgeois, Kirchenmitglied u.ä. jedoch zugleich unterworfen bleibt, als ›Person‹ zu begreifen, zu definieren, zu verhalten.

Nachwort

Jeder Bürger einer modernen Gesellschaft muß sich ja *gleich-zeitig* im Geld-, Rechts-, Schul-, Verkehrssystem, auf dem Ar-beits-, Beziehungs- und Weltanschauungsmarkt bewegen kön-nen. Wir müssen die ›soziale Landkarte‹ der verschiedenen Wertsphären auch lesen können und die Gebrauchsanweisung der diversen Subsysteme auch verstehen; wir müssen den Code personaler Identität jenseits von Klasse und Stand auch beherr-schen – und bekanntlich wird all dies ja seit der ›Zweiten‹ oder ›Postmoderne‹ ständig komplizierter. Das bringt dann eine Reihe von Koordinationsproblemen mit sich, vom ökologischen und sozialpolitischen Risikomanagement bis hin zur individuellen Sinn- und Orientierungskrise, über die in Humanwissenschaften und Sozialphilosophie ja auch seit geraumer Zeit unter Stich-worten wie ›Individualisierung‹ und ›Kommunitarismus‹ disku-tiert wird.

Ein Einwand gegen die befreiende Tugend gelingender Grenzziehung sind all diese Krisen freilich nicht: Walzer spricht ja gerade deshalb von einer »Kunst« der Trennung. Diese Kunst erfordert Kenntnis des Umfeldes, hermeneutisches Fingerspit-zengefühl, auch ethisch-politische Weisheit (die aristotelische *Phronesis*). Denn natürlich ist eine *gelingende* liberale Ordnung im-mer mehr als eine Welt von Trennmauern: Sie zerhackt die Ge-sellschaft nicht in inkommunikable Sphären, und sie darf auch die Individuen nicht völlig vereinzeln. Mehr noch: Die liberalen Trennungen würden ohne das gleichzeitige Wissen um das über-greifende Kontinuum sozialer Lebenswirklichkeit sinnlos. Um ein bestimmtes Gebiet abgrenzen zu können, muß ich seine Nachbargebiete kennen. Alle Grenzziehungen zwischen Reli-gion und Politik, Ethnos und Demos, Recht und Moral, Wirt-schaft und Staat, seien es nun kategoriale oder prozedurale Un-terscheidungen, setzen schließlich, um überhaupt verstanden – und praktiziert – werden können, das ›holistische‹ Wissen um den (je historisch und kulturell spezifischen) Kontext voraus. Dieses Bewußtsein unterscheidet Walzers wenn nicht ›kommunitaristischen‹, so doch ›kontextualistischen‹ Liberalismus nicht allein von der reinen ideologischen Modellbastelei vieler Neoliberaler, sondern auch von manchen im linksliberalen Milieu vorherrschenden Varianten eines philosophischen Universalismus, welche die Probleme »dichter Beschreibung« kultureller Traditionen (Clifford Geertz), die Widersprüche und Konflikte ihrer Deutung nur als nachgeordnete Anwendungsfragen begreifen wollen. Als kultureller Pluralist legt Walzer weitaus mehr Wert auf »lokal« oder kulturell spezifische Erfahrungen, Traditionen und »Gesprächsnetze« (Charles Taylor), aus denen heraus sich erst die Bedeutung ergibt, die dieses oder jenes soziale Gut für Männer und Frauen aus ganz bestimmten Gruppen, Gemeinschaften oder Nationen erhalten kann. Auch eine universalistisch ausgerichtete Sozialkritik kann nur im Horizont einer jeweils spezifischen historischen Erinnerung und moralischen Sprache verstanden werden. Und nicht alle Sprachen erzählen dieselbe moralische Geschichte.[15]

In diesem Bewußtsein, daß es »keine einzige universell richtige oder wahre oder auch nur brauchbare Auffassung vom guten Menschen, vom guten Leben oder von der guten Gesellschaft gibt«[16], ist Michael Walzer durchaus ein jüngerer philosophischer Geistesverwandter des großen liberalen Ideenhistorikers Isaiah Berlin. Freilich ist Walzer zugleich ein Gesellschaftskritiker, der das egalitäre Projekt einer demokratischen Sozialreform nicht aufgegeben hat. Statt also den Wertpluralismus zu einer neuen substantialen Supertheorie des Liberalismus zu erheben (wie dies John Gray vorgeschlagen hat), versucht Walzer eher, pluralistische Theorie methodisch einzusetzen: bei der kritischen Revision und Reformulierung der klassischen Ideale der Linken.[17]

Pluralismus stützt Freiheit, Gleichheit und Solidarität. Dies führte Walzer auch vor deutschen Sozialdemokraten aus, deren Tradition ja keineswegs in jeder Hinsicht als pluralistisch gelten kann: »Pluralismus als Basis von Freiheit besteht in einer Vielzahl von

ethnischen, kulturellen und religiösen Traditionen und den
Gruppen der Menschen, die sie am Leben erhalten. Ohne diese
Traditionen und Gruppen würden wir niemals die Grundlage
unserer Identität, unseres Charakters und unserer Weltanschauung erlangen, die kohärente Entscheidungen und Wahlakte erst
möglich macht. – Pluralismus als Basis von Gleichheit besteht in
einer Vielzahl sozialer Güter sowie den autonomen Sphären, in
denen sie hergestellt und verteilt werden, und den Menschen, die
in diesen Sphären arbeiten und ihre Autonomie verteidigen […].
– Pluralismus als Basis von Solidarität besteht in der ganzen
Reihe von Gruppen und Vereinigungen, in denen Menschen
zusammenkommen, um eine Lebensweise aufrechtzuerhalten,
eine Idee der Gerechtigkeit zu unterstützen oder gemeinsame
Interessen zu verteidigen. Gäbe es für jedes Individuum genau
eine Vereinigung, so wäre Solidarität beschränkt und begrenzt.
Gruppenkonflikte wären heftig, endlos und oft tödlichen Aus-
gangs. Ethnizität, Religion, Beruf, Arbeit und Wohnort sorgen
jedoch für mannigfache Zugehörigkeiten, und alle diese Zugehörigkeiten sind in der *citizenship* [der bürgerschaftlichen
Teilhabe] eingeschlossen. Die Aktivisten aller verschiedenen
Gruppen müssen einander als Mitbürgerinnen und Mitbürger
behandeln anstatt als Fremde.« – Der Redner setzte sogleich
hinzu: »Politik ist die Kunst, diese verwickelten Beziehungen zu
einem kohärenten Muster zu machen.«[18]

6.

Walzers Bild von der Landkarte ist eine sprechende Metapher.
Sie ist gewiß nicht zufällig auf die politische Moderne der Terri-
torialstaaten bezogen, wie sie in Europa insbesondere aus dem
Zeitalter des Nationalismus hervorgegangen ist. Moderne politische Karten bilden die wirkliche Welt ab, indem sie eindeutige

Grenzen ziehen, welche das geographische Kontinuum von Landschaften mit Flüssen und Bergen (oder auch den Flickenteppich von Siedlungsgebieten) in klare, eindeutig voneinander geschiedene Flächen unterteilen. Die Religionskriege zu Beginn der Neuzeit haben diese Teilungen auf doppelte Weise befördert: Zum einen führten sie im Ergebnis zu einer stärkeren Autorität der jeweiligen territorialen Zentralmacht gegenüber anderen Loyalitäten; zum anderen trugen sie durch die Konfessionalisierung der Staaten (die oft auch konfessionelle Säuberungen und den Austausch der Bevölkerung implizierte) auch zur kulturellen Homogenisierung der Territorien bei. Noch die Erfindung der Volks- und Staats-Nationen im Zeitalter der Französischen Revolution – durch die neuen, im Widerstand gegen das napoleonische Europa geborenen, nationalistischen Ideologien – weist religiöse Formen auf: In den Nationalbewegungen des 19. Jahrhunderts wird die nationale Identität zum Bekenntnis, zur innerweltlichen, manchmal auch messianischen Verheißung.

Als Ergebnis mindestens eines Jahrhunderts von Kämpfen um den Nationalstaat tendierten dann im 20. Jahrhundert die ethnische Verteilung und die nationale Unterteilung der politischen Karte West- und Zentraleuropas zu einer stärkeren Annäherung. Größere Vertreibungen und Umsiedlungen (Bevölkerungsaustausch) nach dem Ersten und nach dem Zweiten Weltkrieg brachten einen weiteren Homogenisierungsschub mit sich: Nie in seiner gesamten bisherigen Geschichte war z.B. das katholische Polen ethnisch und konfessionell so homogen wie in den letzten Jahrzehnten. Moderne Verwaltungsstaaten sind ohnehin einheitlicher als feudale Netzwerke von überlappenden Abhängigkeiten – und die klassischen modernen Nationalstaaten Europas sind ethnisch einheitlicher als ihre vormodernen Vorläufer.

Ernest Gellner hat in seinem Buch über den modernen Nationalsozialismus (1983) diese Entwicklung ebenfalls mithilfe ei-

ner Landkarte verdeutlicht. Gellners Landkarte ist weniger me-
taphorisch als die ›soziale Karte‹ Michael Walzers: Es ist eine
ethnographische Karte Europas, über die dann die politische
Karte gelegt wird: die Karte der Staatsgrenzen. In vormodernen
und *vor*nationalistischen Zeiten ähnelte diese ethnische Karte einem Gemälde von Kokoschka, sie ist durch eine »große Diver-
sität und Komplexität charakterisiert [...]: Die winzigen sozialen
Gruppen – die Atome, aus denen sich das Bild zusammensetzt
– verfügen über komplexe und vieldeutige Beziehungen zu vielen Kulturen; einige durch die Sprache, andere durch den vorherrschenden Glauben«; und »wenn es darum geht, das politische System abzubilden, ist die Komplexität nicht viel geringer
als in der Sphäre der Kultur«. Die ethnographische Karte Europas *nach* dem Zeitalter des Nationalismus erinnert Gellner
hingegen eher an einen Maler wie Modigliani. Das Bild hat klare
Linien, weitaus weniger Ambivalenzen, Unschärfen und Über-
lappungen; »klare glatte Flächen sind deutlich voneinander geschieden, im allgemeinen ist klar erkennbar, wo die eine beginnt
und die andere endet« – und die politische Karte der administra-
tiv zentralisierten souveränen Nationalstaaten tendiert zur Homogenisierung der ethnischen und sprachlichen Kultur auf dem
jeweiligen Territorium: »der Staat monopolisiert die legitime
Kultur fast ebensosehr wie die legitime Gewalt – vielleicht sogar
noch mehr«.[19]

Lassen sich nun die beiden Landkarten, von denen bisher die
Rede war, die metaphorische ›soziale‹ Landkarte Michael Walzers und die geo- und ethnographische Karte Ernest Gellners
miteinander in Beziehung setzen? Sie bilden gewiß ganz unterschiedliche Dimensionen der sozio-kulturellen Wirklichkeit ab!
Der Freiheitsgrad – das Maß an innerer wie äußerer Liberalität –
eines Staatswesens beruht jedenfalls darauf, daß die in der Moderne schärfer gezogenen (und mit dem Monopol an physischer
Gewalt bewehrten) Nationalgrenze sonstige Beziehungen und
Bewegungen zwischen den Bevölkerungen auf beiden Seiten der

Grenzen nicht beeinträchtigen. Walzers Problemskizze der fünf politisch-institutionellen ›Systeme‹ oder ›Regimes‹ der Toleranz ersetzt natürlich keine Detailuntersuchung konkreter Fälle; sie regt aber zu historischen wie zeitgenössischen Vergleichen an. Nur so läßt sich auch eine moralische Urteilsfähigkeit ausbilden, die historisch und politisch nicht leer ist. Eine pluralistische Option führt hier nicht zur Konstruktion des *einen* richtigen Modells – denn das gibt es nicht. Aber sie ermöglicht sehr wohl politische Vergleiche und relative moralische Bewertung – *relative* (nicht relativistische), denn sie hängen schließlich von den im historischen und politischen Kontext verfügbaren Alternativen ab.

Beispiele: Ein protestantischer Staat oder eine protestantische Bevölkerung, die keine Katholiken und Juden einreisen und sich ansiedeln lassen wollen (man denke etwa an die diversen *nativists* in den USA des 19. Jahrhunderts[20], ist freiheitsfeindlicher als ein konfessionell neutrales Gemeinwesen; ein reiches Gemeinwesen, das keine Armen einreisen läßt, wird statt idealtypischer »Trennwände« tatsächlich Metallzäune errichten müssen (sofern ihm die ärmeren Gesellschaften dies nicht wie im Falle des Eisernen Vorhangs zum ehemaligen Ostblocks abnehmen).

Wenn sich Ethnizität, (staatsbürgerliche) Nationalität und Religion *nicht* decken, sondern an den Staatsgrenzen überlappen, ist die fragliche Gesellschaft vermutlich offener, als wenn zwei der genannten oder gar alle drei Unterteilungen zusammenfallen sollen. Die ›Kunst der Trennung‹ könnte hier vielleicht empfehlen, beide Karten *möglichst wenig* zur Deckung zu bringen. (Dies geht freilich *nur dann*, wenn die beteiligten Gruppen sich nicht wechselseitig in ihrer Existenz bedroht fühlen müssen.) Auch kollektive Identitäten könnten sich dann offener, multipler, und *eo ipso* weniger zwanghaft entwickeln. Man wird die eigene Nation oder Religion oder Volksgruppe um so eher als eine Hinsicht unter anderen begreifen können, je weniger exklusiv solche Identitäten ausfallen – und je weniger bedroht sie sind. Die Trennung zwischen Teilidentitäten hat hier – wie schon bei John

Locke – den Sinn, nationale oder ethnische Konflikte nicht zu
Glaubenskämpfen zu überhöhen und konfessionelle Differenzen nicht in Volkskriegen ausufern zu lassen.

7.

Schon die Forderung des klassischen Nationalismus, wonach
Demos und *Ethnos* bei jedem Staate zusammenfallen sollen, war
und bleibt ein reichlich utopisches Programm: Es gibt zum einen auf der Welt weitaus mehr »nationsfähige« oder »staatswil-
lige« Ethnien (oder auch Stämme[21]) als verfügbare Staaten – und
zum anderen machen die modernen Informations-, Waren- und
Menschenbewegungen immer weniger halt vor den jeweiligen
Nationalgrenzen. Das Ende des Eisernen Vorhanges hat diese
transnationale Mobilität bekanntlich noch weiter gesteigert;
und die Wanderbewegungen in der Weltgesellschaft sowie die
unterschiedlichen Geburtenraten in verschiedenen ethnischen
Gruppen und Kulturkreisen werden den *ethnical mix* auch in
klassischen Nationalstaaten wie Frankreich oder Deutschland
unweigerlich weiter erhöhen. Staatsbürgerschaft und Ethnizität
(bzw. Kultur) fielen schon in der Vergangenheit nie völlig zusammen – und sie werden dies in Zukunft noch weniger tun.
   Die Westfälische Friedensformel hatte für das Europa am
Ende des Dreißigjährigen Krieges die Territorialhoheit mit der
Konfession verbunden.[22] Der Nationalismus des 19. Jahrhunderts strebte danach – teilweise mit Erfolg –, die ethnisch oder
kulturell bestimmte Nationalität mit dem Territorialstaat zusammenfallen zu lassen, also »Volks«- und »Staatsnation« zur
Deckung zu bringen. Und wo dies gelang, sollte sich im 20. Jahrhundert der Nationalstaat mit der Entwicklung der Massende-
mokratie auch zum Sozialstaat entwickeln. Dieses Modell eines
relativ kompakten, national und kulturell homogenen Gemein-

wesens mit sozialstaatlich garantierter Solidarität strukturiert in vielen Ländern Europas den vermutlich immer noch mehrheitlichen Erwartungshorizont – von der nationalen Rechten zur bis sozialpolitischen Linken.[23]

Der staatsbürgerlichen Inklusion folgt die Exklusion der Nicht-Mitglieder »wie ein logischer Schatten« (Niklas Luhmann).[24] Jede neue Stufe sozialstaatlicher Integration, jede weitere Inklusion in die Bürgergemeinschaft durch soziale Rechte impliziert zugleich eine zusätzliche Dimension des Ausschlusses bloßer *residents* (›Inländer‹ ohne Staatsangehörigkeit), die nicht zum »Verein« der auf unsere nationale oder staatsbürgerliche Solidarität Anspruchsberechtigten gehören.[25] Jede Diskussion über die sozialen Rechte der Staatsbürger betrifft in den europäischen Nationen, die immer mehr zu Einwanderungsländern werden, zugleich die Grenzziehung zwischen Staatsbürgern und Fremden: zwischen den Menschen, die wir in unseren sozialpolitischen Gesellschafts- und Generationenvertrag einbeziehen, in der Bereitschaft, Ressourcen mit ihnen zu teilen – und allen anderen, für die dies nicht gilt. Die Solidaranforderungen an die Staatsbürgerschaft wurden immer »dichter«, während die ethnischen oder kulturellen Gemeinsamkeiten, die zwischen den Bürgern fraglos vorausgesetzt werden können, immer »dünner« geworden sind.

8.

Sollten die Vereinten Staaten Europas ein Erfolg werden – und wir sehen im dritten Kapitel des Buches, daß der amerikanische Linke Walzer diesen Prozeß zumindest mit Wohlwollen beobachtet –, so werden sie nicht in *einer* Geschichte, in *einer* kollektiven Identität in *einer* tragenden Erinnerung begründet sein: Ethnische, linguistische, kulturelle, religiöse und politische Identitäten der Bewohner Europas werden sich kaum jemals so weitgehend zur Deckung bringen lassen, wie dies für (einige) klassische Nationalstaaten möglich war. Für das republikanische Modell der Staatsnation fielen die politischen und sozialen Rechte und Pflichten der Bürger mit den Chancen ihrer aktiven Partizipation zusammen: Rechte und Pflichten waren hier symmetrisch. Die Wirklichkeit der Europäischen Union – einer Noch-nicht-Förderation – läßt sich demgegenüber eher mit einem asymmetrischen, desaggregierten Modell »fragmentierter« *citizenship* fassen: Nicht alle sozialen Leistungen setzen denselben Vollbürgerstatus voraus, Bürgern aus EU-Mitgliedstaaten werden in anderen EU-Mitgliedsländern limitierte Partizipationsrechte verliehen, welche nach Wohn- oder Herkunftsort variieren (usw.). Auch der künftige »europäische soziale Raum« wird vermutlich durch ein sehr viel offeneres soziales Netz strukturiert sein als das der ohnehin in die Krise geratenen nationalen Sozialstaaten. Er wird auch Mischformen von rechtlich garantierter und freiwilliger, bürgerschaftlicher und kommunitärer Hilfe zulassen müssen: Eine »dichte« Kultur subsidiär strukturierter lokaler und kommunaler sozialer Hilfe und Gemeindeverantwortung einerseits – und ein in wenigen, aber unstrittigen sozialen Mindest- oder Grundrechten verankerter europäischer Standard andererseits, mit ansonsten national und regional wechselnden Mischungen sozialer Institutionen.[26]

Auch die kollektive Identität und Erinnerung der Bürger der EU wird nicht mehr dem Modell der Staats- oder Kulturnation (gar mit einer einheitlichen »Zivilreligion«) folgen können. »Europa« wird statt dessen ein Raum für viele mögliche Geschichten sein müssen, ein übergreifender Orientierungsrahmen, in dem nur einige Schlüssel- oder Eckdaten von allen Ethnien und Nationen, von allen Religionen und politischen Familien gemeinsam erzählt und erinnert werden können. »Europa« wird also die Spannung zwischen ganz verschiedenen »Wirs« einschließen: lokalen bürgerschaftlichen Gemeinsinn, nationale und/oder republikanische Identitäten, transnationale Jugend- u.a. Partialkulturen, Geschichten von Einwanderung und Binnenwanderung, von Diaspora und Exil. Das kulturelle Europa wäre ein Raum der Begegnung solcher kollektiver, partieller Identitäten – ein Raum, der auch Gegensätze und Mißverständnisse aushalten, ja den »Konflikt der Interpretationen« in gewissem Maße sogar heben muß. Das politische Europa hätte zumindest die Aufgabe, diese friedliche Koexistenz zu organisieren.

Zu tolerieren und toleriert zu werden ist die Leistung und das Werk demokratischer Bürger. Die Demokratie in Europa wird dabei von Michael Walzers amerikanischer »Kunst der Trennung« lernen können.

Anmerkungen

1 Michael Walzer [im folgenden stets: M.W.], *Sphären der Gerechtigkeit*, Frankfurt/M. – New York 1992 [10 Kap.]; M.W. *The Revolution of the Saints*, Cambridge, MA 1965; M.W. »Politik und Religion in der jüdischen Tradition«, in: O. Kallscheuer (Hg.), *Das Europa der Religionen*, Frankfurt/M. 1996; M.W., »Drawing the line: religion and politics« (Fondazione Agnelli, Etica e religione nella tradizione repubblicana, Contributi di ricerca, 1996).

2 Im Unterschied zu den älteren, philosophischen und theologischen Traktaten eines Petrus Abälard im XII. Jhdt., Raimunds Lullus im XIII. und Nicolaus Cusanus im XV. Jhdt., die ja alle ohne direkte politisch-institutionelle Konkretisierung blieben – und somit eher zu den Vorläufern des interreligiösen Dialogs zu zählen sind. Zur Toleranzfrage im 16. und 17. Jhdt. Francesco Ruffini, *La libertà religiose. Storia dell'idea* (1901), Milano 1967; Joseph Lecler, *Histoire de la Tolérance au siècle de la Réforme*, Paris 1954 (Repr. 1994).

3 John Locke, *Ein Brief über Toleranz*, hg. von Julius Ebbinghaus, Hamburg ²1966; von Pierre Bayles *Commentaire philosophique* existiert eine von Jean-Michel Gros besorgte Teilausgabe *De la Tolérance*, Paris 1992. Grundlegend bleibt Elisabeth Labrousses zweibändige Darstellung *Pierre Bayle* (1963/1964).

4 Norberto Bobbio, *Thomas Hobbes*, Torino 1989 [S. 62f., S. 74].

5 Ebbinghaus, »Einleitung« [in: *Brief über Toleranz*]; Jeremy Waldron, »Locke: toleration and the rationality of persecution«, in: Susan Mendus (Hg.), *Justi-*

fying Toleration, Cambridge 1988; Ingrid Creppell, »Locke on Toleration. The Transformation of Constraint«, in: *Political Theory*, Bd. 24 (1996) H.2.

[6] Locke, *Brief über Toleranz* [S. 14f. und s. 36f.]; siehe M.W., *Kritik und Gemeinsinn*, Frankfurt/M. ²1993 [S. 65f.].

[7] Williams wurde 1636 von der puritanischen Theokratie Neu-Englands ob seines Eintretens für eine radikale Trennung von weltlichem Regiment und Kirchenführung aus der Massachusetts Bay verstoßen und gründete in Rhode Island seine eigene Kolonie. Zu den Thesen Williams s. etwa Garry Wills, *Under God. Religion and American Politics*, New York 1990 [Kap. 30]; und Isaac Kramnick/R. Laurence Moore, *The Godless Constitution*, New York 1996 [Kap. 3]; vgl. auch Ruffini, *La libertà religiosa*, [S. 104–107].

[8] Die Frage, ob eine Verdrängung oder Banalisierung religiöser Werte aus der öffentlichen Arena zu einem Absterben öffentlichen Engagements überhaupt geführt habe, wird seit einigen Jahren in den USA heftig diskutiert. Für (Wert- und Neo-)Konservative und für einige ›Kommunitaristen‹ kann ein »naked public square« (Richard John Neuhaus) – d.h. eine öffentliche Agenda ohne starke ethische Bindung, auch solche aus religiöser Überzeugung – die Demokratie nicht vor der internen Austrocknung oder Zersplitterung bewahren. [Vgl. Stephen L. Carter, *The Culture of Disbelief*, New York 1993; und dagegen: Kramnick/Moore, *The Godless Constitution*].

[9] Anthony Giddens, *Konsequenzen der Moderne*, Frankfurt/M. 1995; Clifford Geertz, *Welt in Stücken*, Wien 1996.

[10] »Liberalism and the Art of Separation« [in: *Political Theory*, Vol. 12], dt. in: M.W., *Zivile Gesellschaft und amerikanische Demokratie*, Frankfurt/M. ²1996.

[11] M.W. *Zivile Gesellschaft*, S. 38.

[12] Heute muß, wie Walzer im vorliegenden Buch am Ende des vierten Kapitels betont, die Unabhängigkeit des Politischen auch gegenüber dem Staat, gegenüber nationalen oder Staatsideologien verteidigt werden: Der Totalitarismus des 20. Jahrhunderts bedeutet eine Zerstörung der Trennwand zwischen demokratischer Politik und Staat.

[13] Siehe Niklas Luhmanns Analysen in: *Gesellschaftsstruktur und Semantik*, Bd. I-IV, Frankfurt/M. 1980–1995.

[14] *Sphären der Gerechtigkeit*, 1. Kapitel.

[15] M.W., *Lokale Kritik – globale Standards*, Hamburg 1996.

[16] M.W., »Are There Limits to Liberalism?«, in: *NYRB*, 19. Oct. 1995 [S. 28].

[17] Siehe John Grays *Isaiah Berlin*-Monographie (London 1996). – Walzer kombiniert genau genommen verschiedene Traditionsstränge und Versionen pluralistischer Theorie: (a) einen auf Giambattista Vico und Johann Gottfried Herder zurückweisenden hermeneutischen Pluralismus (der historischen Interpretation von Kultur oder ›Bildung‹); (b) die sozialtheoretische Diagnose der Moderne (vom Pluralismus der funktionalen Teilsysteme mo-

derner Gesellschaften); und (c) die Betonung der lokalen Demokratie, des Tradition des institutionellen und Gruppenpluralismus in der angelsächsischen und der amerikanischen demokratischen und sozialistischen Tradition (die wohl bis auf Rolle der protestantischen Sekten in der englischen Reformation zurückgeht).

[18] M.W., »Pluralismus und Sozialdemokratie«, Rede vor dem Kulturforum der SPD (Berlin 1996).

[19] Ernest Gellner, *Nationalismus und Moderne*, Hamburg ²1995, S. 202 ff.

[20] Vgl. Walzer, *Zivile Gesellschaft* [Kap. VII].

[21] »In diesem Sinne sind Nationalismen einfach nur jene Tribalismen – oder auch die Identität jeder anderen Art von Gruppe –, denen es durch Glück, Anstrengung oder Zufall gelingt, unter modernen Bedingungen zu einer durchsetzungsfähigen Macht zu werden. Sie sind nur *ex post factum* identifizierbar. Der Tribalismus hat nie Erfolg – denn wenn er Erfolg hat, wird ihn jeder als echten Nationalismus respektieren und niemand wird wagen, ihn Tribalismus zu nennen.« (Gellner, *Nationalismus*, S. 132)

[22] Freilich wäre es verfehlt, beim Alten Reich oder seinen (Kur) Fürstentümern schon an souveräne Staaten zu denken: von einer Staats- oder Volksnation konnte im »Corps germanique« (Rousseau) noch nicht die Rede sein. In England und Frankreich wurden die Grundlagen für nationale Loyalitäten im 17. und 18. Jahrhundert gelegt – nachdem der religiöse Pluralismus politisch ausgeschaltet worden war.

[23] Die multi-ethnische Einwanderungsgesellschaft der USA, die Idee einer »nation of nationalities« (Horace M. Kallen), stellt das genaue Gegenbild zum »social-étatisme« (Alain Touraine) der traditionellen europäischen Rechten und Linken dar: Die USA verstehen sich zwar weitaus pluralistischer – die amerikanische Staatsbürgerschaft impliziert freilich auch stets weitaus weniger soziale Rechte. Vgl. auch Walzers Ausführungen in *Zivile Gesellschaft und amerikanische Demokratie* [V. und VII. Kapitel].

[24] Niklas Luhmann, »Inklusion und Exklusion«, in: H. Berding, *Nationales Bewußtsein und kollektive Identität*, Frankfurt/M. 1994 [hier S. 43]; vgl. ders. *Die Gesellschaft der Gesellschaft*, Frankfurt/M. 1997 [Kapitel 4, III und Kap. 5, XV].

[25] Den Vergleich der Staatsangehörigkeit mit einer Vereinsmitgliedschaft macht Walzer in *Sphären der Gerechtigkeit* [2. Kapitel]: Staaten entscheiden bei der Einwanderung ebenso wie bei der Geburt neuer Anwärter auf die Staatsbürgerschaft souverän darüber, wem sie dieses Gut zuteilen und wem nicht – wie Clubs, die sich selber ihre Aufnahmeregeln geben.

[26] Vgl. die von Antje Wiener hrsg. Ausgabe der sozialwissenschaftlichen Zeitschrift *Prokla*, Nr. 105 (1996) zum Thema »Fragmentierte Staatsbürgerschaft«.

MICHAEL WALZER

Veröffentlichungen in deutscher Übersetzung

Gibt es einen gerechten Krieg?, Stuttgart: Klett-Cotta Verlag 1983 (im Original: 1977)

Exodus und Revolution, Berlin: Rotbuch Rationen 1988 (im Original: 1985) [jetzt: Fischer Taschenbuch (1995)]

Kritik und Gemeinsinn. Drei Wege der Gesellschaftskritik, Berlin: Rotbuch Rationen 1990 (im Original: 1987) [jetzt: Fischer Taschenbuch (1992), mit einem neuen Nachwort von Otto Kallscheuer]

Zweifel und Einmischung. Gesellschaftskritik im 20. Jahrhundert, Frankfurt/M.: Fischer Verlag 1991 (im Original: 1988)

Sphären der Gerechtigkeit. Ein Plädoyer für Pluralismus und Gleichheit. Frankfurt/M. – New York: Campus Verlag 1992 (im Original: 1983)

Zivile Gesellschaft und amerikanische Demokratie, hrsg. und mit einer Einleitung von Otto Kallscheuer, Berlin: Rotbuch Rationen 1992 [jetzt: Fischer Taschenbuch (1996)]

Lokale Kritik – Globale Standards. Zwei Formen moralischer Auseinandersetzung. Mit einem Nachwort von Otto Kallscheuer, Hamburg: Rotbuch Rationen 1996.